A CULPA É DAS ESTRELAS

BRILHANTE.
ENTERTAINMENT WEEKLY

JOHN GREEN COMBINA COM PRIMOR O PROFUNDO E O COTIDIANO NESSE FORTE E TOCANTE PRESENTE PARA O ESPÍRITO.
WASHINGTON POST

OS LEITORES VÃO PRECISAR de mais de uma caixa de lenços para enfrentar a **DOLOROSA JORNADA** de Hazel e Gus.
KIRKUS REVIEWS

O MELHOR E MAIS AMBICIOSO ROMANCE de GREEN até agora.
BOOKLIST

Um bom exemplo de por que tantos **ADULTOS** se voltam para a **LITERATURA JOVEM** buscando o divertimento e o conforto que antes encontravam na **FICÇÃO CONVENCIONAL.**
TIME

Uma comédia de tom **PERFEITO, MELANCÓLICA...** Vai ficar por um bom tempo martelando na cabeça de quem é e de quem já foi jovem.
USA TODAY

UMA HISTÓRIA DOLOROSAMENTE **BELA.**
SCHOOL LIBRARY JOURNAL

A CULPA É DAS ESTRELAS

JOHN GREEN

Tradução de Renata Pettengill

Copyright © 2012 by John Green
Todos os direitos reservados, incluindo o direito de reprodução no todo ou em parte em quaisquer meios. Publicado mediante acordo com Dutton Children's Books, uma divisão do Penguin Young Readers Group, membro do Penguin Group (USA), Inc.

Esta é uma obra de ficção.

TÍTULO ORIGINAL
The Fault in Our Stars

REVISÃO
Umberto Figueiredo Pinto

ADAPTAÇÃO DE CAPA
ô de casa

DIAGRAMAÇÃO
Editoriarte

CIP-BRASIL. CATALOGAÇÃO-NA-FONTE
SINDICATO NACIONAL DOS EDITORES DE LIVROS, RJ

G83c

Green, John

   A culpa é das estrelas / John Green ; tradução Renata Pettengill. – Rio de Janeiro : Intrínseca, 2012.
   288p. : 21 cm

   Tradução de: The fault in our stars
   ISBN 978-85-8057-226-1

   1. Ficção americana. I. Pettengill, Renata. II. Título.

12-3970.   CDD: 813
                            CDU: 821.111(73)-3

[2012]

Todos os direitos desta edição reservados à

EDITORA INTRÍNSECA LTDA.
Av. das Américas, 500, bloco 12, sala 303
22640-904 – Barra da Tijuca
Rio de Janeiro – RJ
Tel./Fax: (21) 3206-7400
www.intrinseca.com.br

Para Esther Earl

Enquanto a maré banhava a areia da praia, o Homem das Tulipas Holandês contemplava o oceano:

— Juntadora treplicadora envenenadora ocultadora reveladora. Repare nela, subindo e descendo, levando tudo consigo.

— O que é? — Anna perguntou.

— A água — respondeu o holandês. — Bem, e as horas.

— PETER VAN HOUTEN, *Uma aflição imperial*

NOTA DO AUTOR

Esta é menos uma nota e mais um lembrete do autor sobre o que apareceu impresso em letras pequenas algumas páginas atrás: Este livro é uma obra de ficção. Eu o inventei. Nem os textos nem os leitores se beneficiam de tentativas de descobrir se há fatos reais por trás de uma história fictícia. Tais esforços são um ataque direto à crença de que histórias inventadas podem ser relevantes, o que é mais ou menos a crença fundamental da nossa espécie.

Agradeço a sua colaboração neste quesito.

CAPÍTULO UM

Faltando pouco para eu completar meu décimo sétimo ano de vida minha mãe resolveu que eu estava deprimida, provavelmente porque quase nunca saía de casa, passava horas na cama, lia o mesmo livro várias vezes, raramente comia e dedicava grande parte do meu abundante tempo livre pensando na morte.

Sempre que você lê um folheto, uma página da Internet ou sei lá o que mais sobre câncer, a depressão aparece na lista dos efeitos colaterais. Só que, na verdade, ela não é um efeito colateral do câncer. É um efeito colateral de se estar morrendo. (O câncer também é um efeito colateral de se estar morrendo. Quase tudo é, na verdade.) Mas a mamãe achava que eu precisava de tratamento, então me levou ao meu médico comum, o Jim, que concordou que eu, de fato, estava nadando numa depressão paralisante e totalmente clínica e, portanto, ele ia trocar meus remédios e, além disso, eu teria que frequentar um Grupo de Apoio uma vez por semana.

O grupo era formado por um elenco rotativo de pessoas com várias questões psicológicas desencadeadas pelos tumores. A razão de o elenco ser rotativo? Efeito colateral de se estar morrendo.

O Grupo de Apoio era megadeprimente, óbvio. A reunião acontecia toda quarta-feira no porão de uma igreja episcopal — uma construção no formato de cruz com paredes de pedra. Nós nos sentávamos em uma roda bem no meio da cruz: onde os dois pedaços de madeira um dia se cruzaram, onde esteve o coração de Jesus.

Sabia disso porque o Patrick, Líder do Grupo de Apoio e o único naquele lugar com mais de dezoito anos, falava sobre o coração de Jesus todo raio de reunião, sobre como nós, jovens sobreviventes do câncer, estávamos sentados bem no sagrado coração de Cristo, e tal.

Bem, era assim que acontecia no coração do Senhor: os seis ou sete ou dez de nós chegávamos lá a pé/de cadeira de rodas, comíamos um pouco daqueles biscoitos velhos com limonada, sentávamos na Roda da Esperança e ouvíamos o Patrick contar pela milésima vez a história ultradeprimente e superinfeliz da sua vida — sobre ter tido câncer nas bolas e acharem que ele ia morrer, mas não morreu, e ali estava, já adulto, no porão de uma igreja na 137ª cidade mais linda dos Estados Unidos, divorciado, viciado em *videogames*, quase sem amigos, levando uma vida sem graça explorando seu fantástico passado com câncer, ralando para terminar um mestrado que não vai melhorar sua perspectiva de progresso na carreira e esperando, como todos nós, que a espada de Dâmocles traga para ele o alívio do qual escapou muitos anos atrás, quando o câncer levou seus testículos e lhe deixou algo que só a alma mais generosa poderia chamar de vida.

E VOCÊS TAMBÉM PODEM TER ESSA SORTE!

Aí nós nos apresentávamos: Nome. Idade. Diagnóstico. E como estávamos no dia. Meu nome é Hazel, dizia na minha vez. Dezesseis. Tireoide, originalmente, mas com uma respeitável colônia satélite há muito tempo instalada nos pulmões. E está tudo bem comigo.

Depois do último da roda, o Patrick sempre perguntava se alguém queria se abrir. E aí começava a punheta grupal de apoio mútuo: todo mundo falando de lutar, combater, vencer, remitir e examinar. Para não ser injusta com o Patrick, ele nos deixava falar da morte. Mas a maioria ali não estava morrendo. A maioria viveria até a idade adulta. Como o Patrick.

(Isso significa que havia muita competição, com todo mundo querendo vencer não só o câncer, mas também as outras pessoas da roda. Tipo, eu sei que não faz o menor sentido, mas quando você ouve que tem, por exemplo, vinte por cento de chance de viver cinco anos, e faz as contas e conclui que isso é uma chance em cinco... você olha em volta e pensa, como qualquer pessoa saudável faria: eu preciso durar mais que quatro desses desgraçados.)

A única coisa que salvava no Grupo de Apoio era um menino chamado Isaac, um magrelo de rosto comprido, com cabelos loiros e lisos que cobriam um de seus olhos.

E seu problema eram os olhos. Ele teve um tipo inacreditavelmente improvável de câncer ocular. Um olho foi extraído quando ele era pequeno, e agora o Isaac usava um par de óculos fundo de garrafa que fazia os olhos (tanto o de verdade quanto o de vidro) parecerem sobrenaturalmente grandes, como se a cabeça inteira fosse basicamente o globo ocular de mentira e o de verdade olhando para você. Pelo que pude entender das raras vezes que ele se abriu para o grupo, uma recorrência colocou o olho que resta em perigo mortal.

O Isaac e eu nos comunicávamos quase exclusivamente por meio de suspiros. Cada vez que alguém falava de dietas anticâncer, de cheirar cartilagem de tubarão em pó ou sei lá, ele me olhava e suspirava de leve. Eu balançava a cabeça em um movimento microscópico e dava um suspiro em resposta.

Então o Grupo de Apoio deu o que tinha de dar, e depois de algumas semanas eu passei a surtar quando tocavam no assunto.

Na verdade, na quarta-feira em que conheci o Augustus Waters, tinha feito de tudo para me livrar da ida à sessão de grupo enquanto estava sentada no sofá com a mamãe, no meio da terceira parte da maratona de doze horas da temporada anterior de *America's Next Top Model*, que, confesso, já tinha visto, mas mesmo assim...

Eu: "Eu me recuso a ir ao Grupo de Apoio."

Mamãe: "Um dos sintomas da depressão é a falta de interesse em participar de atividades."

Eu: "Por favor, mãe, deixe eu ficar vendo *America's Next Top Model*. Isso é uma atividade."

Mamãe: "Televisão é passividade."

Eu: "Pô, mãe, por favor..."

Mamãe: "Hazel, você já é adolescente. Não é mais criancinha. Precisa fazer amigos, sair de casa, viver sua vida."

Eu: "Se você quer que eu aja como adolescente, não me mande para o Grupo de Apoio. Compre uma carteira de identidade falsa para mim e aí eu vou sair à noite, beber vodca e tomar baseado."

Mamãe: "Para início de conversa, não se *toma* baseado."

Eu: "Viu? Esse é o tipo de coisa que eu saberia se você comprasse uma carteira de identidade falsa para mim."

Mamãe: "Você vai para o Grupo de Apoio."

Eu: "SAAAAAAACO."

Mamãe: "Hazel, você merece uma vida."

Aquilo me fez calar a boca, mesmo não tendo conseguido entender o que a ida ao Grupo de Apoio tinha a ver com a definição de *vida*. De qualquer jeito, concordei em ir — depois de negociar o direito de gravar o episódio e meio do *ANTM* que eu ia perder.

Ia ao Grupo de Apoio pelo mesmo motivo que uma vez deixei enfermeiras com um ano e meio de faculdade me envenenarem com substâncias químicas de nomes exóticos: queria fazer meus pais felizes. Só tem uma coisa pior nesse mundo que bater as botas aos dezesseis anos por causa de um câncer: ter um filho que bate as botas por causa de um câncer.

Mamãe parou na entrada de carros circular atrás da igreja às 4h56. Fingi que estava ajeitando o cilindro de oxigênio por um segundo só para ganhar tempo.

— Quer que eu o carregue até lá dentro?

— Não, está tudo bem — respondi.

O cilindro verde só pesava uns poucos quilos e eu tinha um carrinho de aço para transportá-lo. Aquilo me fornecia dois litros de oxigênio por minuto através de uma cânula, um tubo transparente que se dividia bem embaixo do meu pescoço, passava por trás das orelhas e se juntava de novo nas narinas. A geringonça era necessária porque meus pulmões faziam um péssimo trabalho como pulmões.

— Eu te amo — ela disse, enquanto eu saltava do carro.

— Eu também, mãe. Vejo você às seis.

— Faça amigos! — ela gritou pela janela abaixada enquanto eu me distanciava.

Não quis usar o elevador porque isso é o tipo de coisa que você faz nos seus "Últimos dias no Grupo de Apoio", então fui de escada. Peguei um biscoito, coloquei um pouco de limonada num copo descartável e me virei.

Um garoto olhava fixamente para mim.

Eu tinha quase certeza de nunca ter visto aquele cara na vida. Alto e magro, mas musculoso, ele fazia a cadeira de plástico, daquelas usadas em sala de aula, parecer minúscula. Cabelo acaju, liso e curto. Parecia ter a minha idade, talvez um ano mais velho, e estava sentado com o cóccix na beirada da cadeira, uma postura péssima, com uma das mãos enfiada até a metade no bolso da calça *jeans* escura.

Desviei o olhar, repentinamente consciente da quantidade infinita de coisas erradas em mim. Eu estava com uma calça *jeans* velha, que algum dia foi justa mas que agora ficava folgada nos lugares mais estranhos, e uma camiseta de malha amarela com o nome de uma banda da qual eu nem gostava mais. Tinha também meu cabelo: cortado tipo Príncipe Valente, e eu nem tive a preocupação de, puxa, dar uma escovada nele. Além disso, minhas bochechas estavam ridiculamente redondas, como as de um esquilo, efeito colateral do tratamento. Eu era uma pessoa de proporções normais com um balão no lugar da cabeça. Isso sem falar do inchaço nos tornozelos. Mesmo assim, dei uma espiada rápida e os olhos dele ainda estavam grudados em mim.

Foi então que entendi o verdadeiro sentido de aquilo ser chamado de *contato visual*.

Andei até a roda e me sentei ao lado do Isaac, a duas cadeiras do garoto. Olhei de novo, rapidamente. Ele ainda me observava.

Na boa, vou logo dizendo: ele era um gato. Se um cara que não é gato encara você sem parar, isso é, na melhor das hipóteses, esquisito, e na pior, algum tipo de assédio. Mas se é um cara gato... na boa...

Peguei meu celular e apertei uma tecla para ver as horas. Os lugares na roda foram ocupados por azarados de doze a dezoito anos e, então, o Patrick deu início aos trabalhos com a prece da serenidade: *Senhor, dê-me serenidade para aceitar as coisas que não posso modificar, coragem para modificar as que posso, e sabedoria para reconhecer a diferença entre elas.* O garoto ainda estava me encarando. Senti meu rosto ficar vermelho.

Por fim, resolvi que a melhor estratégia seria também olhar fixamente para ele. Afinal de contas, os garotos não detêm o monopólio da Atividade Encaradora. Foquei nele enquanto o Patrick explicava pela milésima vez sua ausência de bolas etc., e aquilo logo virou um Jogo do Sério. Depois de um tempo o garoto sorriu e, até que enfim, desviou os olhos azuis.

Quando me olhou de novo, arqueei as sobrancelhas como que dizendo: *ganhei*.

Ele deu de ombros. O Patrick prosseguiu e, enfim, a hora das apresentações chegou.

— Isaac, talvez você queira ser o primeiro hoje. Sei que está enfrentando um grande desafio no momento.

— É — o Isaac disse. — Meu nome é Isaac. Tenho dezessete anos. Parece que vou precisar ser operado em duas semanas, depois vou ficar cego. Não estou reclamando nem nada porque sei que poderia ser pior, como no caso de alguns aqui, mas, quer dizer, ficar cego é, tipo, uma droga. Ter uma namorada me ajuda. Além de amigos como o Augustus. — Ele balançou a cabeça na direção do garoto, que agora tinha nome. — Pois é... — continuou. Ele estava olhando para as mãos, os dedos cruzados parecendo o topo de uma tenda indígena. — Não há nada que se possa fazer para mudar isso.

— Estamos do seu lado, Isaac — o Patrick falou. — Vamos lá, pessoal, digam para o Isaac ouvir.

E então todos nós, em uníssono, dissemos:

— Estamos do seu lado, Isaac.

O Michael foi o próximo. Ele tinha doze anos. Sofria de leucemia. Desde que se entendia por gente. E estava bem. (Pelo menos foi o que disse. Ele desceu de elevador.)

A Lida tinha dezesseis anos e era bonita o suficiente para ser alvo do olhar do cara gato. Era frequentadora assídua das reuniões — estava em um longo período de remissão de um câncer de apêndice, que eu nem sabia que existia. Ela disse — como em todas as outras vezes que eu fui às sessões do grupo — que se sentia *forte*, o que para mim, com aquela chuvinha de oxigênio fazendo cosquinhas no nariz, era o mesmo que tirar onda.

Outros cinco falaram antes do cara gato. Ele deu um sorrisinho quando chegou sua vez. A voz era baixa, aveludada e supersensual.

— Meu nome é Augustus Waters — disse. — Tenho dezessete anos. Tive uma pitada de osteossarcoma um ano e meio atrás, mas só estou aqui hoje porque o Isaac pediu.

— E como está se sentindo? — o Patrick perguntou.

— Ah, maravilha. — Augustus Waters deu um sorrisinho. — Estou numa montanha-russa que só vai para cima, amigão.

Quando chegou minha vez, eu disse:

— Meu nome é Hazel. Tenho dezesseis anos. Tireoide com metástase nos pulmões. Estou bem.

A hora passou rápido. Lutas foram recontadas, batalhas ganhas em guerras que com certeza seriam perdidas; a esperança virou tábua de salvação; famílias foram celebradas e recriminadas; foi consenso que os amigos não entendiam nada; lágrimas foram compartilhadas, e consolo, oferecido. Nem eu nem o Augustus Waters tínhamos soltado uma palavra, até que o Patrick disse:

— Augustus, talvez você queira falar de seus medos para o grupo.

— Meus medos?

— É.

— Eu tenho medo de ser esquecido — disse ele de bate-pronto. — Tenho medo disso como um cego tem medo de escuro.

— Calma aí... — disse Isaac, abrindo um sorriso.

— Estou sendo insensível? — perguntou o Augustus. — Eu posso ser bem cego quando o assunto são os sentimentos das outras pessoas.

O Isaac estava rindo, mas o Patrick levantou um dedo, repreendendo-o.

— Por favor, Augustus. Voltemos a *você* e às *suas* questões. Disse que tem medo de ser esquecido?

— É — respondeu o Augustus.

O Patrick pareceu meio perdido.

— Alguém, ahn, alguém gostaria de fazer algum comentário?

Eu não frequentava uma escola de verdade havia três anos. Meus melhores amigos eram meus pais. Meu terceiro melhor amigo era um escritor que nem sabia que eu existia. Eu era relativamente tímida — de jeito nenhum o tipo que levanta a mão para falar.

E, mesmo assim, só dessa vez, resolvi abrir o verbo. Levantei a mão, e o Patrick, a satisfação estampada na cara, disse:

— Hazel!

Eu estava, tenho certeza de que foi isso o que ele pensou, me abrindo. "Me tornando parte do grupo."

Olhei na direção do Augustus Waters, que me encarava. Dava quase para ver através dos olhos dele, de tão azuis.

— Vai chegar um dia — eu disse — em que todos vamos estar mortos. Todos nós. Vai chegar um dia em que não vai sobrar nenhum ser humano sequer para lembrar que alguém já existiu ou que nossa espécie fez qualquer coisa nesse mundo. Não vai sobrar ninguém para se lembrar de Aristóteles ou de Cleópatra, quanto mais de você. Tudo o que fizemos, construímos, escrevemos, pensamos e descobrimos vai ser esquecido e tudo isso aqui — fiz um gesto abrangente — vai ter sido inútil. Pode ser que esse dia chegue logo e pode ser que demore milhões de anos, mas, mesmo que o mundo sobreviva a uma explosão do Sol, não vamos viver para sempre. Houve um tempo antes do surgimento da consciência nos organismos vivos, e vai haver outro depois. E se a inevitabilidade do esquecimento humano preocupa você, sugiro que deixe esse assunto para lá. Deus sabe que é isso o que todo mundo faz.

Eu tinha aprendido aquilo com meu já citado terceiro melhor amigo, Peter Van Houten, o autor recluso de *Uma aflição imperial* — de todos os meus livros, o mais próximo de uma Bíblia. Peter Van Houten era a única pessoa que eu conhecia que parecia: (a) entender o que era estar morrendo, e (b) não ter morrido.

Assim que terminei fez-se um longo silêncio, e eu pude ver um sorriso se abrindo de um canto ao outro no rosto do Augustus — não o tipo de sorriso cafajeste do garoto tentando parecer *sexy* ao me encarar, mas um sorriso sincero, quase maior que a cara dele.

— Caramba! — disse ele baixinho. — Não é que você é mesmo demais?

Nós dois não falamos mais nada até o fim da reunião, quando todos se deram as mãos e o Patrick nos guiou em uma prece.

— Senhor Jesus Cristo, estamos aqui reunidos em Seu coração, *literalmente em Seu coração*, como sobreviventes do câncer. O Senhor e somente o Senhor nos conhece como conhecemos a nós mesmos. Nos guie pela vida e para a Luz em nossos períodos de provação. Oremos pelos olhos do Isaac, pelo sangue do Michael e do Jamie, pelos ossos do Augustus, pelos pulmões da Hazel, pela garganta do James. Oremos para que o Senhor consiga nos curar e para que possamos sentir Seu amor e Sua paz, que excedem todo o entendimento. E nos lembremos em nossos corações daqueles que um dia conhecemos, amamos e que foram para a Sua casa: Maria, Kade, Joseph, Haley, Abigail, Angelina, Taylor, Gabriel...

A lista era grande. Tem muita gente morta no mundo. E enquanto o Patrick continuava a ladainha, lendo a relação em uma folha de papel porque era muito comprida para ser decorada, fiquei de olhos fechados, tentando elevar os pensamentos em oração, mas a maior parte do tempo imaginava o dia em que meu nome ocuparia um lugarzinho ali, bem no fim da lista, quando ninguém mais está prestando atenção.

Quando o Patrick acabou, entoamos juntos aquele mantra idiota — VIVENDO O MELHOR DA NOSSA VIDA HOJE — e foi o fim da reunião. O Augustus Waters empurrou o corpo para fora da cadeira e caminhou na minha direção. O andar dele era tão cafajeste quanto o sorriso. Ele parou na minha frente, mas manteve uma certa distância para eu poder olhá-lo nos olhos sem ter de esticar o pescoço.

— Qual é o seu nome? — ele perguntou.

— Hazel.

— Não, o nome completo.

— Ahn, Hazel Grace Lancaster.

Ele ia dizendo alguma coisa quando o Isaac se aproximou.

— Só um instante — falou, levantando um dedo, e virou-se para o Isaac. — Isso foi pior do que você tinha dito, na verdade.

— Eu disse que era um tédio.

— Por que você se dá o trabalho de vir aqui?

— Sei lá. Meio que ajuda...?

O Augustus inclinou o corpo achando que assim eu não conseguiria ouvi-lo.

— Ela vem sempre? — Não deu para escutar o comentário do Isaac, mas o Augustus respondeu: — Quer saber? — Ele pegou o Isaac pelos ombros e deu meio passo para trás. — Conte à Hazel da ida ao médico.

O Isaac apoiou uma das mãos na mesa de biscoitos e virou o olho enorme para mim.

— Tá, é que eu fui ao médico hoje de manhã e estava falando para o meu cirurgião que preferiria ser surdo a ser cego. E ele disse: "Não é assim que as coisas funcionam." Aí eu falei, tipo: "É, eu sei que não é assim; só estou dizendo que preferiria ser surdo a ser cego se pudesse escolher, mas sei que não posso." E ele: "Bem, a boa notícia é que você não vai ficar surdo." Eu disse: "Obrigado por esclarecer que meu câncer no olho não vai me deixar surdo. É muita sorte minha ter um gênio como você me operando."

— Ele é mesmo um gênio — falei. — Vou tentar arrumar um câncer qualquer no olho para poder conhecer esse cara.

— Boa sorte. Então, tá. Já vou indo. A Monica está me esperando. Preciso olhar bastante para ela enquanto posso.

— *Counterinsurgence* amanhã? — o Augustus perguntou.

— Com certeza. — O Isaac deu meia-volta e subiu as escadas correndo, pulando os degraus de dois em dois.

Augustus Waters se virou para mim:

— Literalmente.

— Literalmente? — perguntei.

— Estamos literalmente no coração de Jesus... Achei que estivéssemos no porão de uma igreja, mas estamos literalmente no coração de Jesus.

— Alguém deveria contar isso para Jesus — falei. — Quer dizer, deve ser perigoso ficar guardando crianças com câncer no coração.

— Eu mesmo poderia contar — o Augustus falou —, mas, para minha infelicidade, estou literalmente enterrado no coração Dele, então Ele não vai conseguir me ouvir.

Eu ri. O Augustus balançou a cabeça, me olhando.

— O que foi? — perguntei.

— Nada — ele respondeu.

— Por que você está olhando para mim desse jeito?

Ele deu um sorrisinho.

— Porque você é bonita. Eu gosto de olhar para pessoas bonitas, e faz algum tempo que resolvi não me negar os prazeres mais simples da existência humana. — Um silêncio constrangedor se seguiu. Mas o Augustus quebrou o gelo. — Quer dizer, principalmente porque, como você deliciosamente observou, tudo isso vai acabar em total esquecimento, e tal...

Eu meio que engasguei, ou suspirei, ou soltei o ar de um jeito que pareceu quase uma tosse, e disse:

— Eu não sou boni...

— Você é tipo uma Natalie Portman milenar. Tipo a Natalie Portman em *V de Vingança*.

— Não vi esse filme — falei.

— Sério? — ele perguntou. — Garota linda, de cabelo curto, rejeita a autoridade e não consegue resistir a um cara que ela sabe que vai ser um problema. É sua autobiografia, pelo menos até aqui, pelo que posso ver.

Cada sílaba que saía da boca dele flertava comigo. O.k., ele meio que me deixava excitada. Eu nem sabia que garotos *podiam* me deixar excitada — pelo menos não, tipo, na vida real.

Uma menina mais nova passou por nós.

— E aí, Alisa. Tudo bem? — ele perguntou.

Ela sorriu e balbuciou:

— Oi, Augustus.

— Gente do Memorial — ele explicou.

Memorial era o grande hospital de pesquisas.

— Qual você frequenta?

— O Hospital Pediátrico — respondi, meu tom de voz mais baixo do que eu pretendia. Ele fez que sim com a cabeça. A conversa parecia ter chegado ao fim. — Bem — falei, mexendo a cabeça vagamente na direção dos degraus que levavam para fora do Coração Literal de Jesus. Inclinei o carrinho do oxigênio para apoiá-lo nas rodinhas e comecei a andar. O Augustus foi mancando ao meu lado. — Então, a gente se vê na próxima, talvez? — perguntei.

— Você deveria assistir — ele falou. — Ao *V de Vingança*, quero dizer.

— Tá. Vou ver se acho para assistir.

— Não. Comigo. Na minha casa — ele disse. — Agora.

Parei de andar.

— Eu mal conheço você, Augustus Waters. Você pode muito bem ser o assassino do machado.

Ele concordou.

— Tem toda razão, Hazel Grace.

E passou por mim, os ombros dando forma à camisa polo verde, as costas retas, os passos da direita um pouco mais marcantes enquanto andava firme e confiante apoiado no que eu determinei ser uma prótese. Às vezes o osteossarcoma leva um dos membros só para dar uma sondada em você. Depois, se gostar, leva o restante.

Eu o segui escada acima, devagar, ficando para trás. Degraus não são o forte dos meus pulmões.

Aí fomos do coração de Jesus até o estacionamento, o frescor da brisa da primavera na medida certa, a luz do fim de tarde divina em sua nocividade.

Mamãe não tinha chegado ainda, o que era estranho, porque ela quase sempre estava lá esperando por mim. Olhei em volta e vi que uma garota alta, morena e boazuda imprensava o Isaac na parede de pedra da igreja, beijando o menino de um jeito quase agressivo. Estávamos tão perto que eu podia escutar os ruídos estranhos das duas bocas grudadas, e ouvi o Isaac dizendo "sempre", e ela respondendo com "sempre" também.

O Augustus apareceu de repente ao meu lado e sussurrou:
— Eles são grandes adeptos de demonstrar afeto em público.
— Qual é a do "sempre"?

O ruído da troca de saliva aumentou de intensidade.
— "Sempre" é o lema deles. *Sempre* vão se amar, e tal. Pelos meus cálculos, e sendo bastante conservador, eles devem ter trocado quatro milhões de mensagens de texto com a palavra *sempre* no ano passado.

Mais dois carros chegaram, levando embora o Michael e a Alisa. Aí sobramos só o Augustus e eu, observando o Isaac e a Monica, que continuavam frenéticos, como se não estivessem encostados na parede de um local de oração. Ele pôs a mão no peito dela, por cima da blusa, e apalpou o mamilo, a mão imóvel enquanto os dedos se mexiam. Fiquei me perguntando se aquilo seria gostoso. Não parecia, mas resolvi perdoar o Isaac levando em conta o fato de que ele estava para ficar cego. Os sentidos devem aproveitar enquanto ainda há apetite, e tal.

— Imagine a última ida de carro até o hospital — falei, baixinho. — A última vez que você vai dirigir um carro.

Sem me olhar, o Augustus disse:

— Você está atrapalhando a minha *vibe* aqui, Hazel Grace. Estou tentando observar o amor adolescente em sua esplendorosa estranheza.

— Acho que ele está machucando o peito dela — comentei.

— É. É difícil saber ao certo se ele está tentando excitar a menina ou fazer um exame de mama.

Aí o Augustus colocou a mão no bolso e tirou de lá, por incrível que pareça, um maço de cigarros. Levantou a tampa da caixinha e colocou um cigarro na boca.

— Isso é *sério*? — perguntei. — Você acha isso legal? Ai, meu Deus, você acabou de estragar *a coisa toda*.

— Que coisa toda? — ele perguntou, virando para mim.

O cigarro pendia apagado da boca, do canto que não sorria.

— A coisa toda em que um garoto que não é pouco atraente ou pouco inteligente ou, aparentemente, de forma alguma pouco tolerável me encara e chama minha atenção para utilizações incorretas da literalidade e me compara a atrizes e me convida para ver um filme na casa dele. Mas é claro que sempre tem uma *hamartia* e a sua é que, ai, meu Deus, mesmo você TENDO TIDO UM RAIO DE UM CÂNCER ainda dá dinheiro para uma empresa em troca da chance de ter MAIS CÂNCER. Ai, meu Deus. Deixe eu só dizer para você como é não conseguir respirar? É UM INFERNO. Totalmente decepcionante. *Totalmente.*

— Uma *hamartia*? — ele perguntou, o cigarro ainda na boca. Aquilo deixava sua mandíbula contraída. E a linha da mandíbula dele, infelizmente, era tudo...

— Uma falta trágica — expliquei, dando as costas para ele.

Dei um passo na direção do meio-fio, deixando o Augustus Waters para trás, e foi então que ouvi um carro dando a partida mais adiante na rua. Era a mamãe. Ela tinha ficado ali, esperando que eu, tipo, fizesse amigos ou coisa assim.

Senti um misto de decepção e raiva crescendo em mim. Nem sei direito que sentimento era aquele, sério, só que havia *muito* dele, e eu queria dar um soco na cara do Augustus Waters e ao mesmo tempo trocar meus pulmões por outros que não fossem péssimos. Eu estava de pé bem na pontinha do meio-fio com meu All-Star Chuck Taylors, o cilindro de oxigênio no carrinho ao meu lado parecendo aquela bola de ferro que fica presa com uma corrente no tornozelo de um prisioneiro, e na hora que minha mãe ia encostando o carro senti a mão dele pegar a minha.

Puxei a mão mas me virei para ele.

— Eles não matam se você não acender — disse ele quando mamãe parou junto ao meio-fio. — E eu nunca acendi nenhum. É uma metáfora. Tipo: você coloca a coisa que mata entre os dentes, mas não dá a ela o poder de completar o serviço.

— É uma metáfora — falei, hesitante.

Mamãe esperava, quieta.

— É uma metáfora — ele repetiu.

— Você determina seu comportamento com base nas ressonâncias metafóricas...

— Ah, é. — Ele sorriu. O sorriso largo, meio bobo e sincero. — Sou um grande adepto da metáfora, Hazel Grace.

Eu me virei para o carro. Dei uma batidinha na janela. Que se abriu.

— Vou ver um filme com o Augustus Waters — falei. — Grave, por favor, os próximos episódios da maratona do *ANTM* para mim.

CAPÍTULO DOIS

Augustus Waters dirigia muito mal. Tanto na freada quanto na arrancada, dava sempre um TRANCO enorme. Eu voava de encontro ao cinto de segurança da caminhonete Toyota toda vez que ele freava, e meu pescoço chicoteava para trás quando o pé ia para o acelerador. Eu deveria estar nervosa — sentada no carro de um estranho, indo para a casa dele, perfeitamente ciente do fato de que meus pulmões de araque iriam dificultar quaisquer esforços para evitar avanços indesejados —, mas ele dirigia tao mal que eu não conseguia pensar em outra coisa.

Tínhamos percorrido quase uns dois quilômetros em silêncio, ouvindo só os barulhos do carro, quando o Augustus disse:

— Fui reprovado três vezes no teste de direção.

— Não diga.

Ele riu e balançou a cabeça.

— É que eu não consigo sentir nada com a boa e velha prótese aqui, e não me acostumo a dirigir com o pé esquerdo. Meus médicos disseram que a maioria dos amputados consegue dirigir sem problemas, mas... bem. Não é o meu caso. Aí eu cheguei para o meu quarto teste de direção e ele rolou mais ou menos como agora. — Quase um quilômetro à frente o sinal ficou vermelho. O Augustus pisou fundo no freio, me atirando num abraço triangular com o cinto de segurança. — Foi mal. Juro por Deus que estou tentando fazer tudo devagar. Mas, aí, no fim do teste, eu estava certo de que tinha sido reprovado de novo, e o instrutor disse: "Seu jeito de dirigir é incômodo, mas não é arriscado, tecnicamente falando."

— Não sei se concordo com ele — falei. — Acho que foi mais um caso de "privilégio do câncer".

Os "privilégios do câncer" são pequenas coisas que as crianças com a doença recebem e as saudáveis, não: bolas de basquete autografadas por ídolos do esporte, perdão pelo atraso na entrega do dever de casa, carteiras de motorista não merecidas etc.

— É — ele disse.

O sinal ficou verde. Segurei firme no banco. O Augustus meteu o pé no acelerador.

— Você sabe que existem controles manuais para pessoas que não podem dirigir usando os pedais? — perguntei.

— Sei — ele respondeu. — Quem sabe algum dia?

E suspirou de um jeito que me fez pensar se ele achava que esse *algum dia* ia chegar. Eu sabia que o osteossarcoma tinha uma probabilidade de cura muito grande, mas, mesmo assim...

Existem várias maneiras de estabelecer a expectativa de vida aproximada de alguém sem perguntar isso *diretamente*. Eu fui pela mais tradicional.

— Então, você estuda?

Normalmente seus pais tiram você da escola quando já estão esperando que bata as botas.

— Estudo — ele respondeu. — Na North Central. Mas estou atrasado um ano, dei uma parada no segundo. E você?

Pensei em mentir. Afinal de contas, ninguém se interessa por um cadáver ambulante. Mas acabei dizendo a verdade.

— Não. Meus pais me tiraram da escola há três anos.

— Três *anos*? — ele perguntou, boquiaberto.

Contei ao Augustus a versão resumida do meu milagre: diagnosticada com câncer de tireoide em estágio IV aos treze anos. (Não contei que o diagnóstico veio três meses depois da minha primeira menstruação. Tipo: Parabéns! Você já é uma mulher. Agora morra.) E, foi o que nos disseram, era incurável.

Passei por uma cirurgia chamada *dissecação radical do pescoço*, tão desagradável quanto o nome. Depois, radioterapia. Aí tentaram quimioterapia para os tumores no pulmão, que diminuíram num primeiro momento, mas cresceram de novo. Nessa época eu já tinha quatorze anos. Meus pulmões começaram a se encher de líquido. Basicamente, eu parecia uma morta-viva — as mãos e os pés inchados como balões, a pele rachada, os lábios sempre roxos. Existe um remédio que faz você não ficar totalmente apavorado pelo fato de não conseguir respirar, e eu tinha uma grande quantidade dele fluindo dentro de mim por um cateter central inserido perifericamente — PICC, para os íntimos — e mais de uma dezena de outros medicamentos. Mesmo assim, a sensação de afogamento é meio desagradável, principalmente quando dura vários meses. Por fim, acabei na UTI com pneumonia, e minha mãe se ajoelhou ao lado do meu leito e perguntou: "Você está pronta, querida?" Eu respondi que estava, e meu pai ficava repetindo que me amava com aquela voz embargada de sempre, e eu dizia que o amava também, e todo mundo de mãos dadas, eu sem conseguir respirar, meus pulmões funcionando no desespero, sem fôlego, me forçando a me ajeitar para tentar achar uma posição que permitisse que ar entrasse, eu constrangida pelo desespero dos meus pulmões, passada por eles *não desistirem*, simplesmente, e me lembro da minha mãe dizendo que estava tudo bem, que eu estava bem, que eu ficaria bem, e do meu pai fazendo um esforço tão grande para não chorar que, quando caía no choro, o que acontecia com frequência, parecia um terremoto. E me lembro de não querer ficar acordada.

Todo mundo achou que aquele fosse meu fim, mas minha médica do câncer, Maria, conseguiu drenar um pouco do líquido dos pulmões e, logo depois, os antibióticos que eu tomava para tratar a pneumonia começaram a fazer efeito.

Acordei e logo entrei num daqueles testes clínicos com remédios experimentais que são famosos na República da Cancervânia por *não funcionarem*. A droga se chamava Falanxifor, uma tal de molécula projetada para grudar nas células cancerosas e diminuir a velocidade de multiplicação delas. Não funcionava em mais ou menos 70% das pessoas. Mas funcionou em mim. Os tumores reduziram de tamanho.

E continuaram reduzidos. Viva o Falanxifor! Nos últimos dezoito meses minhas metástases quase não aumentaram, deixando para mim pulmões que são péssimos, mas que poderiam, a princípio, continuar funcionando indefinidamente no sacrifício com o auxílio da chuvinha de oxigênio e de doses diárias de Falanxifor.

Devo confessar que a história de milagre do meu câncer só resultou em um pequeno ganho de tempo. (Eu só não sabia ainda quão pequeno.) Mas, enquanto contava tudo ao Augustus Waters, pintei o quadro mais otimista possível, ressaltando a miraculosidade do milagre.

— Então você precisa voltar a estudar — ele disse.

— Na verdade, não dá — expliquei —, porque já peguei meu certificado de conclusão do ensino médio. Por isso tenho assistido às aulas no MCC. — Que é a faculdade comunitária da cidade.

— Uma universitária — ele disse, balançando a cabeça. — Isso explica a aura de sofisticação.

Ele abriu um sorriso afetado. Dei um empurrão no seu braço, de brincadeira. E pude sentir o músculo logo abaixo da pele, todo contraído e incrível.

Fizemos uma curva cantando pneu e entramos em um loteamento com muro emboçado de dois metros e meio de altura.

A casa dele era a primeira à esquerda. Estilo colonial, dois andares. Paramos, com um tranco, na entrada de carros. Fui atrás dele até dentro da casa. Uma placa de madeira, no *hall*, tinha gravadas com letras cursivas as palavras *O lar é onde fica o coração*, e acabou que a casa toda era enfeitada com dizeres desse tipo. *Amigos de verdade são difíceis de encontrar e impossíveis de esquecer*, afirmava uma ilustração acima do cabideiro. *O verdadeiro amor nasce em tempos difíceis*, prometia uma almofada bordada na sala de estar cheia de móveis antigos. O Augustus me pegou lendo.

— Meus pais chamam isso de Encorajamentos — explicou. — Estão espalhados por toda parte.

O pai e a mãe dele o chamavam de Gus. Estavam preparando *enchiladas* na cozinha (escrita em letras gordinhas num vidro jateado perto da pia estava a frase *Família é para sempre*). A mãe colocava frango nas *tortillas*, que o pai enrolava e botava num pirex. Eles não pareceram muito surpresos com a minha chegada, o que fazia sentido: o fato de o Augustus me fazer *sentir* especial não queria necessariamente dizer que eu *era* especial. Talvez ele levasse uma garota nova todas as noites para ver um filme e se aproveitar dela.

— Esta é Hazel Grace — ele disse, me apresentando formalmente.

— Só Hazel — falei.

— Como vai, Hazel? — o pai perguntou. Ele era alto, quase tão alto quanto o Gus, e magro de um jeito que pais mais velhos normalmente não são.

— Tudo bem — respondi.

— Como foi lá no Grupo de Apoio do Isaac?

— Foi inacreditável — disse o Gus.

— Você é um tremendo desmancha-prazeres — a mãe disse. — Hazel, você gosta de lá?

Fiquei em silêncio por um segundo, tentando decidir se minha resposta deveria ser calculada para agradar ao Augustus ou aos pais dele.

— A maioria das pessoas é bem legal — falei, por fim.

— Foi exatamente o que achamos das famílias no Memorial quando estávamos no meio do tratamento do Gus — o pai dele disse. — Todo mundo era muito gentil. Forte, também. Nos dias mais sombrios, o Senhor coloca as melhores pessoas na sua vida.

— Rápido, cadê a almofada e a linha, porque isso precisa virar um Encorajamento — o Augustus disse, e o pai pareceu ficar um pouco chateado, mas aí ele passou o braço comprido em volta do pescoço do homem e falou: — Só estou brincando, pai. Eu gosto desses malditos Encorajamentos. De verdade. Só não posso admitir isso porque sou adolescente. — O pai dele revirou os olhos.

— Você vai ficar para o jantar? — a mãe me perguntou. Ela era baixa, morena e tinha as feições de uma ratinha.

— Acho que sim — respondi. — Tenho de estar em casa às dez. Ah, só tem uma coisa... Eu não como carne...

— Não tem problema. Vamos vegetarianizar algumas delas — ela disse.

— Os animais são fofos demais? — o Gus perguntou.

— Quero diminuir a quantidade de mortes pelas quais sou responsável — falei.

O Gus abriu a boca para fazer um comentário mas pensou duas vezes e continuou calado.

A mãe dele preencheu o silêncio.

— Pois eu acho isso uma coisa maravilhosa.

Eles conversaram um pouco comigo, me contando que as *enchiladas* eram as Famosas e Impossíveis de Não Experimentar *Enchiladas* Waters, e que o toque de recolher do Gus também era às dez, e que eles desconfiavam totalmente de qualquer um que estabelecesse um toque de recolher *diferente* de dez, comentando o fato de eu estar estudando — "ela é universitária", o Augustus exclamou —, de o clima estar absolutamente magnífico para março, e de como na primavera tudo era renovado, e em nenhum momento fizeram qualquer pergunta sobre o oxigênio ou sobre meu diagnóstico, o que era ao mesmo tempo estranho e maravilhoso, e aí o Augustus disse:

— A Hazel e eu vamos assistir ao *V de Vingança* para que ela possa ver a *doppelgänger* cinematográfica dela, a Natalie Portman do século vinte e um.

— A sala de estar é toda de vocês — o pai dele disse, todo alegrinho.

— Na verdade, acho que vamos ver o filme lá no porão.

O pai dele riu.

— Boa tentativa. Sala de estar.

— Mas eu quero mostrar o porão para a Hazel Grace — o Augustus disse.

— Só Hazel — falei.

— Então mostre o porão para a Só Hazel — o pai dele disse. — E depois volte aqui para cima e assista ao seu filme na sala de estar.

O Augustus bufou, se equilibrou na perna e girou o quadril, jogando a prótese para a frente.

— Tá bem — resmungou.

Desci as escadas acarpetadas atrás dele até chegarmos a um enorme quarto-porão. No nível dos meus olhos, uma prateleira lotada de *memorabilia* de basquete se estendia pelas paredes de todo o cômodo: dezenas de troféus com homenzinhos de plástico dourado no meio de saltos com arremesso, driblando ou voando em enterradas em cestas invisíveis. Também havia várias bolas e tênis autografados.

— Eu jogava basquete — ele explicou.

Você devia ser muito bom.

— Não era de todo ruim, mas esses tênis e essas bolas são Privilégios do Câncer. — Ele andou até a TV, onde uma pilha enorme de DVDs e *videogames* estava arrumada num formato que lembrava uma pirâmide. Dobrou o corpo na linha da cintura e puxou de lá o *V de Vingança*. — Eu era, tipo, o protótipo do jogador de basquete estudantil de Indiana — ele disse. — Estava todo empenhado em ressuscitar a arte esquecida do arremesso de meia distância. Mas, um dia, enquanto praticava arremessos livres da cabeça do garrafão na quadra do ginásio da North Central, pegando as bolas de um carrinho, de repente me perguntei por que estava jogando um objeto esférico através de outro, toroidal. Parecia ser, de todas, a coisa mais idiota do mundo. Aí comecei a pensar nas crianças pequenas que tentam encaixar blocos cilíndricos em círculos vazados e em como tentam isso várias vezes durante meses até descobrirem como se faz, e em como o basquete era basicamente uma versão só um pouquinho mais aeróbica desse mesmo exercício. Bem, de qualquer forma, por um tempão segui encestando os lances livres. Acertei oito bolas seguidas, meu recorde absoluto, mas, enquanto continuava, me sentia cada vez mais como uma criança de dois anos. E aí, por algum motivo que não sei qual, comecei a pensar em atletas que praticam corridas com obstáculos. Está tudo bem?

Eu tinha me sentado na beira da cama desarrumada dele. Não queria me insinuar, nem nada; é que me canso um pouco toda vez que fico muito tempo de pé. Já tinha ficado em pé na sala de estar, depois desci a escada, e aí fiquei de pé de novo, o que era demais para mim, e não queria desmaiar. Eu era tipo uma donzela vitoriana, no quesito "desmaios à toa".

— Tudo bem — falei. — Só estou prestando atenção em você. Atletas que praticam corridas de obstáculos?

— Pois é. Não sei por quê. Comecei a pensar neles correndo naquelas pistas de atletismo, saltando aqueles objetos totalmente

arbitrários colocados no meio do caminho. E aí me perguntei se esses corredores já teriam pensado em algo como: *Essa corrida seria mais rápida se nós simplesmente nos livrássemos dos obstáculos.*
— E isso foi antes do diagnóstico? — perguntei.
— É, bem, tem isso também. — Ele deu um sorrisinho. — Por coincidência, o dia dos lances livres carregados de existencialismo foi meu último como bípede. Só tive um fim de semana entre o agendamento da amputação e o "dia D". Meu vislumbre particular do momento pelo qual o Isaac está passando agora.

Balancei a cabeça, concordando. Eu gostava do Augustus Waters. Gostava muito mesmo dele. Gostava de como a história dele terminava falando de outra pessoa. Gostava da voz dele. Gostava do fato de ele ter feito lances livres *carregados de existencialismo*. Gostava de ele ser professor titular no Departamento de Sorrisos Ligeiramente Tortos com duas cátedras no Departamento da Voz Que Me Deixa à Flor da Pele. E gostava de ele ter um apelido. Sempre gostei de pessoas com apelidos porque você pode escolher como chamá-las: Gus ou Augustus? Eu era sempre só Hazel, uma Hazel univalente.

— Você tem irmãos? — perguntei.
— Hein? — ele murmurou, parecendo um pouco distraído.
— Aquilo que você disse sobre ver crianças brincando.
— Ah, não. Eu tenho sobrinhos, das minhas meias-irmãs. Mas elas são mais velhas. Elas têm... PAI, QUANTOS ANOS A MARTHA E A JULIE TÊM?
— Vinte e oito!
— Elas têm vinte e oito anos. Moram em Chicago. As duas são casadas com advogados muito importantes. Ou banqueiros. Não lembro direito. E você, tem irmãos?

Fiz que não com a cabeça.
— E aí? Qual é a sua história? — ele perguntou, sentando do meu lado, a uma distância segura.

— Já contei minha história para você. Fui diagnosticada quando...

— Não, não a história do seu câncer. A sua história. Seus interesses, passatempos, paixões, fetiches etc.

— Humm — murmurei.

— Não vá me dizer que você é uma daquelas pessoas que encarnam a doença. Conheço tanta gente assim... Dá até pena. Tipo, o câncer é um negócio em franco crescimento, certo? O negócio de tomar-as-pessoas-de-assalto. Mas é claro que você não deixou que ele saísse vencedor assim tão cedo.

Passou pela minha cabeça a ideia de que talvez eu tivesse deixado, sim. Demorei a decidir como me vender para o Augustus Waters, que interesses selecionar, mas no silêncio que se seguiu só consegui pensar que eu não era muito interessante.

— Não tenho nada de extraordinário.

— Eu me recuso a acreditar nisso. Pense em alguma coisa de que você goste. A primeira coisa que vier à cabeça.

— Humm. Ler?

— O que você gosta de ler?

— Tudo. De, tipo, romances hediondos a ficção pretensiosa, poesia. De tudo um pouco.

— Você também escreve poesia?

— Não. Eu não escrevo.

— *Taí!* — O Augustus falou quase gritando. — Hazel Grace, você é a única adolescente nos Estados Unidos que prefere ler poesia a escrever poesia. Só isso já diz muito sobre a sua pessoa. Você lê um monte de livros maneiros com M maiúsculo, não lê?

— Acho que sim.

— Qual é o seu livro favorito?

— Humm — murmurei.

Meu livro favorito era, de longe, *Uma aflição imperial*, mas eu não gostava de falar dele. Às vezes, um livro enche você de um estranho fervor religioso, e você se convence de que esse mundo despedaçado só vai se tornar inteiro de novo a menos que, e até que, todos os seres humanos o leiam. E aí tem livros como *Uma aflição imperial,* do qual você não consegue falar — livros tão especiais e raros e *seus* que fazer propaganda da sua adoração por eles parece traição.

Não era nem pelo fato de o livro ser bom nem nada; era só porque o autor, Peter Van Houten, parecia me entender dos modos mais estranhos e improváveis. *Uma aflição imperial* era o *meu* livro, do mesmo jeito que meu corpo era meu corpo e meus pensamentos eram meus pensamentos.

Mesmo assim, falei dele para o Augustus.

— Meu livro favorito é, provavelmente, *Uma aflição imperial* — eu disse.

— Tem zumbis? — ele perguntou.

— Não — respondi.

— *Stormtroopers?*

Balancei a cabeça negativamente.

— Não é esse tipo de livro.

Ele sorriu.

— Vou ler esse livro horrível com um título sem graça que não contém *stormtroopers* — ele prometeu, e imediatamente senti que não deveria ter lhe contado. O Augustus se virou para uma pilha de livros na parte de baixo da mesa de cabeceira. Pegou um deles e uma caneta. Enquanto escrevia algo na primeira página, falou: — Tudo o que peço em troca é que você leia esta adaptação brilhante e memorável do meu *videogame* favorito. — Ele me estendeu o exemplar, cujo título era *O preço do alvorecer.* Ri e peguei-o. Nossos dedos meio que se embaralharam no processo e no fim ele acabou segurando minha mão. — Fria — ele disse, o dedo apertando meu pulso pálido.

— Mais desoxigenada que fria — falei.

— Adoro quando você usa termos médicos comigo — ele disse, se levantando e me puxando junto.

E não soltou minha mão até chegarmos à escada.

Vimos o filme com vários centímetros de sofá entre nós. Dei uma de pré-adolescente colocando a mão no sofá na metade do caminho para deixar claro que ele podia me dar a mão se quisesse, mas ele não fez nada. Depois de uma hora de filme, seus pais entraram e nos serviram as *enchiladas*, que comemos no sofá, e estavam uma delícia.

O filme era sobre um tipo heroico e mascarado que morria heroicamente por Natalie Portman, uma garota durona e muito *sexy* que não tem nada a ver com a minha cara estufada de esteroides.

Enquanto rolavam os créditos, ele disse:

— Muito maneiro, né?

— Muito maneiro — concordei, mesmo não sendo.

Sério. Era um filme do tipo que só agrada garotos. Não sei por que os meninos esperam que gostemos desses filmes. Nós, meninas, não temos expectativa nenhuma de que eles gostem dos nossos tipos de filme.

— Preciso ir para casa. Tenho aula de manhã — falei.

Fiquei sentada no sofá por um tempo enquanto o Augustus procurava as chaves. A mãe dele se sentou ao meu lado e disse:

— Adoro esse aí. E você?

Acho que eu estava olhando fixamente para o Encorajamento acima da TV, a ilustração de um anjo com a legenda: *Sem dor, como poderíamos reconhecer o prazer?*

(Essa é uma discussão antiga no campo das Reflexões Sobre o Sofrimento, e a ignorância e a ausência de sofisticação da frase poderiam ser analisadas por vários séculos, mas é suficiente dizer que a existência do brócolis não afeta de forma alguma o gosto do chocolate.)

— É — falei. — Um pensamento agradável.

Fui dirigindo o carro do Augustus até a minha casa, ele no banco do carona. Ele tocou para mim algumas músicas de que gostava, de um grupo chamado The Hectic Glow, e eram boas, mas como eu não conhecia, não causaram em mim o mesmo efeito que nele. De vez em quando eu dava uma olhada na perna do Augustus, ou no lugar onde ela costumava ficar, tentando imaginar como seria a aparência da perna falsa. Não queria dar muita bola para aquilo, mas dava um pouco. E ele devia sentir a mesma coisa em relação ao meu oxigênio. A doença gera repulsa. Aprendi isso há muito tempo, e achava que o Augustus também tinha aprendido.

Quando encostei o carro em frente à minha casa, o Augustus desligou o rádio. O clima ficou tenso. Ele devia estar pensando em me beijar, e eu com certeza estava considerando essa possibilidade. Fiquei me perguntando se era o que eu queria. Já tinha beijado alguns garotos, mas fazia algum tempo. Na era pré-milagre.

Coloquei a marcha do carro em ponto morto e olhei para ele. Como era belo. Sei que este não é o adjetivo mais usado para elogiar a beleza de um garoto, mas ele era.

— Hazel Grace. — Meu nome soando inédito e muito mais bonito na voz dele. — Foi um prazer inenarrável conhecê-la.

— Igualmente, Sr. Waters — falei.

E fiquei envergonhada ao olhar para ele. Não era páreo para a intensidade daqueles olhos azul-piscina.

— Podemos nos ver de novo? — perguntou, e havia um nervosismo fofo na voz dele.

Sorri.

— Claro.

— Amanhã?

— Paciência, Gafanhoto — aconselhei. — Assim vai parecer que você está ansioso demais.

— Exatamente. Foi por isso que falei "amanhã". Quero ver você de novo hoje à noite. Mas estou disposto a esperar *a noite toda e boa parte do dia de amanhã.*

Revirei os olhos.

— Estou falando *sério* — ele disse.

— Você nem me conhece direito. — Peguei o livro de dentro do console. — Que tal se eu ligar para você assim que acabar de ler isto?

— Mas você não sabe qual é o número do meu telefone — ele disse.

— Tenho motivos para acreditar que você anotou o número no livro.

Ele abriu aquele sorriso meio bobo.

— E você ainda diz que a gente não se conhece direito.

CAPÍTULO TRÊS

Fiquei acordada até bem tarde lendo *O preço do alvorecer*. (Para acabar com o suspense: o preço do alvorecer é o sangue.) Não era nenhum *Uma aflição imperial*, mas o protagonista, o Sargento Max Mayhem, era ligeiramente simpático, apesar de ter matado, pelas minhas contas, nada menos que cento e dezoito indivíduos em duzentas e oitenta e quatro páginas.

Por isso acordei tarde na manhã seguinte, uma quinta-feira. Minha mãe seguia a seguinte política: nunca me acordar, pois um dos pré-requisitos do Doente Profissional é dormir muito. O que me deixou meio confusa, num primeiro momento, quando fui despertada pelas mãos dela em meus ombros.

— São quase dez horas da manhã — ela disse.

— O sono combate o câncer. Fiquei acordada até tarde lendo.

— Deve ser um livro e tanto — ela disse ao se ajoelhar ao lado da cama e me desconectar do enorme concentrador de oxigênio retangular, que eu chamava de Felipe, porque simplesmente tinha cara de Felipe. Mamãe me conectou a um cilindro portátil e me lembrou que eu tinha aula. — Foi aquele menino que deu isso para você? — ela perguntou.

— Com *isso* você quer dizer herpes?

— Você é impossível — mamãe comentou. — O livro, Hazel. Estou falando do livro.

— Sim, ele me deu o livro.

— Está na cara que você gosta dele — ela falou, as sobrancelhas arqueadas, como se uma observação dessas dependesse exclusivamente de um instinto maternal.

Dei de ombros.

— Eu disse que o Grupo de Apoio acabaria valendo a pena — continuou ela.

— Você ficou esperando lá fora o tempo todo?

— Fiquei. Levei coisas para ler. Mas isso não vem ao caso. Hora de sair para aproveitar o dia, minha jovem.

— Mãe. Dormir. Combate. Câncer.

— Eu sei, querida, mas você tem aula agora. Além disso, hoje é... — A alegria na voz da mamãe era evidente.

— Quinta-feira?

— Você esqueceu, de verdade?

— Talvez?

— Hoje é quinta-feira, vinte e nove de março — ela disse aquilo quase gritando, o sorriso estampado no rosto.

— Você parece estar muito feliz só de saber que dia é hoje — gritei também.

— HAZEL! HOJE É SEU TRIGÉSIMO TERCEIRO MEIO ANIVERSÁRIO!

— Ahhhhh! — falei. Minha mãe era totalmente adepta da prática de maximizar as celebrações de datas comemorativas. HOJE É O DIA DA ÁRVORE! VAMOS ABRAÇAR ÁRVORES E COMER BOLO! COLOMBO TROUXE VARÍOLA PARA OS NATIVOS DA AMÉRICA; PRECISAMOS FESTEJAR A DATA COM UM PIQUENIQUE! etc. — Já que é assim, feliz trigésimo terceiro meio aniversário para mim — completei.

— O que você quer fazer neste dia tão especial?

— Voltar para casa depois da aula e assistir ao maior número possível de episódios de *Top Chef* de uma vez só para bater o recorde mundial nessa categoria?

Mamãe esticou o braço e pegou, da prateleira acima da minha cama, o Azulzinho, o urso de pelúcia azul que eu tinha desde, tipo, um ano de idade — quando ainda era socialmente aceitável dar para os bichos de pelúcia nomes inspirados na cor deles.

— Você não quer ir ao cinema com a Kaitlyn ou com o Matt? — Esses eram meus amigos.

Era uma ideia.

— Pode ser — respondi. — Vou mandar uma mensagem de texto para a Kaitlyn e ver se ela quer ir ao *shopping* ou fazer alguma coisa depois da aula.

Mamãe sorriu, abraçada ao urso.

— Ir ao *shopping* ainda é considerado um programa legal? — ela perguntou.

— Eu me orgulho muito de não saber o que é ou não é um programa legal — respondi.

Mandei um torpedo para a Kaitlyn, tomei banho, vesti uma roupa e mamãe me deu uma carona até a escola. A matéria do dia era Literatura Norte-americana, uma aula sobre Frederick Douglass dada numa sala tipo anfiteatro praticamente vazia. Foi muito difícil manter os olhos abertos. Quarenta minutos depois de iniciada a aula de noventa minutos, a Kaitlyn respondeu.

Legal. Feliz Meio Aniversário. Castleton às 3h32?

A Kaitlyn possuía uma vida social concorrida, organizada visando o melhor aproveitamento do tempo dela. Respondi:

Boa ideia. Te vejo na praça de alimentação.

Mamãe me levou de carro direto da escola para a livraria ao lado do *shopping*, onde comprei tanto o *Alvoradas à meia-noite* quanto o *Réquiem para Mayhem*, os volumes seguintes da série "O preço do alvorecer". Depois fui andando até a ampla praça de alimentação e comprei uma Coca Zero. Eram 3h21.

Enquanto lia, dei uma espiada nas crianças que brincavam num navio pirata na área de recreação do *shopping*. Duas atravessavam um túnel repetidas vezes, engatinhando, e não se cansavam daquilo, o que me fez lembrar do Augustus Waters e de seus lances livres carregados de existencialismo.

Mamãe também estava na praça de alimentação, sozinha, sentada em um canto, achando que eu não conseguia vê-la, comendo um sanduíche de filé com queijo e lendo alguns papéis. Artigos médicos, provavelmente. Aquelas leituras pareciam não ter fim.

Às 3h32 em ponto, avistei Kaitlyn passando, confiante e decidida, em frente ao restaurante Wok House. Ela me viu quando levantei o braço, abriu um sorriso de dentes branquinhos e recém-alinhados, e veio andando na minha direção.

Ela estava com um casaco cinza-escuro que ia até o joelho, perfeitamente ajustado ao corpo, e óculos escuros que cobriam boa parte do rosto. Ela empurrou os óculos para o alto da cabeça quando se abaixou para me abraçar.

— Amada — disse de um jeito levemente afetado. — Como vai?

Ninguém achava aquele modo de falar estranho nem se incomodava. Acontece que a Kaitlyn era uma *socialite* britânica de vinte e cinco anos presa no corpo de uma adolescente de dezesseis e morando em Indianápolis. Todo mundo aceitava aquilo.

— Estou bem. E você?

— Nem sei mais. Isso é Coca Zero? — Fiz que sim com a cabeça e entreguei o copo para ela, que tomou um gole pelo canudo. — Eu adoraria que você estivesse indo à escola nos últimos tempos. Alguns dos meninos ficaram totalmente *apetitosos*.

— É mesmo? Tipo quem? — perguntei. Ela listou cinco garotos que foram da nossa turma na educação infantil e no ensino fundamental, mas não consegui me lembrar de nenhum deles.

— Estou saindo com o Derek Wellington já faz algum tempo — ela disse —, mas não acho que vá durar. Ele é tão *infantil*... Mas chega de falar de mim. Quais são as novidades no universo Hazel?

— Nenhuma, na verdade — respondi.

— A saúde está boa?

— Na mesma, acho.

— Falanxifor! — ela disse, entusiasmada, sorrindo. — Então você pode acabar vivendo para sempre?

— Talvez não para sempre — ponderei.

— Mas, praticamente — ela falou. — Nenhuma outra novidade?

Pensei em contar para ela que estava saindo com um garoto também, ou pelo menos que tinha assistido a um filme com ele, só porque sabia que o fato de alguém como eu, tão descuidada da aparência, dos bons modos e baixinha, poder, mesmo que por um breve momento, despertar o interesse de um garoto causaria surpresa e espanto na Kaitlyn. Mas não tinha muito do que me gabar, na verdade, então só dei de ombros.

— Céus, o que é *isso*? — ela perguntou, apontando para o livro.

— Ah, é ficção científica. Estou meio que curtindo *sci-fi* agora. É uma série.

— Estou chocada. Vamos fazer compras?

Fomos à sapataria. Enquanto escolhíamos os modelos, a Kaitlyn ia me mostrando sapatilhas abertas na frente e dizendo: "Essas ficariam lindas em você", o que me fez lembrar do fato de que ela nunca usava sandálias porque odiava os próprios pés. Achava que os dedos ao lado dos dedões eram compridos demais, como se fossem uma janela para a alma, ou coisa assim. Então, quando apontei para um par de sandálias que combinavam com seu tom de pele, a Kaitlyn reagiu com:

— É, mas... — O *mas* querendo dizer *mas eles vão deixar meus dedos medonhos à mostra*.

— Kaitlyn, você é a única pessoa que eu conheço que tem dismorfofobia do dedo do pé — falei, e ela perguntou:

— O que é isso?

— Sabe quando você olha no espelho e o que vê não é exatamente o que é de verdade?

— Ah. Ah — ela disse. — O que acha desses aqui? — Segurou um par de sapatos estilo boneca bonitinhos, mas nada de mais, eu fiz que sim com a cabeça, ela achou um par do tamanho dela, calçou e andou de um lado para outro pelo corredor da loja, olhando os pés refletidos num espelho que ia até a altura do joelho. Depois pegou um par de sapatos altíssimos, com várias tiras, *à la* prostituta, e perguntou: — Será humanamente possível andar com isso aqui? Quer dizer, eu simplesmente *morreria*... — E então parou no meio da frase e olhou para mim como que pedindo desculpas, como se mencionar a morte para quem está morrendo fosse algum tipo de crime. — Você deveria experimentá-los — continuou, tentando abafar o caso.

— Eu morreria mais rápido — garanti.

Acabei escolhendo um par de chinelos só para ter o que comprar, sentei num dos bancos em frente a uma prateleira cheia de sapatos e fiquei observando a Kaitlyn serpenteando pelos corredores da loja, escolhendo calçados com a intensidade e a concentração normalmente associadas ao xadrez profissional. Eu meio que queria tirar o *Alvoradas à meia-noite* da bolsa e ler um pouco, mas sabia que isso não seria muito educado de minha parte, então fiquei só olhando a Kaitlyn. De vez em quando ela ia até onde eu estava, carregando algum sapato fechado, e perguntava: "Esse?", e eu tentava fazer algum comentário inteligente sobre ele, até que, por fim, ela comprou três pares e eu, meus chinelos.

Enquanto saíamos da loja, ela perguntou:
— Vamos à Anthropologie agora?
— Está na hora de ir para casa, na verdade — falei. — Estou meio cansada.
— Claro, sem problemas — ela disse. — Preciso vê-la mais vezes, amada. — Colocou as mãos nos meus ombros, beijou minhas bochechas e bateu em retirada, rebolando os quadris.

Só que não fui para casa. Pedi para a mamãe me buscar às seis, e mesmo sabendo que ela deveria estar ou dentro do *shopping* ou no estacionamento, ainda queria as duas horas seguintes só para mim.

Eu gostava da minha mãe, mas a proximidade perpétua dela às vezes me deixava estranhamente nervosa. Também gostava da Kaitlyn. De verdade. Mas, depois de três anos afastada da convivência em tempo integral com meus colegas de turma, era como se uma distância intransponível tivesse se estabelecido entre nós. Acho que meus amigos da escola queriam me ajudar a superar essa fase do câncer, mas acabaram percebendo que não era possível. Pelo simples fato de não ser uma *fase*.

Então me safei usando a velha desculpa da dor e do cansaço, como fiz várias vezes nos últimos anos quando saía com a Kaitlyn ou com algum dos outros. Na verdade, sempre doía. Sempre doía não respirar como uma pessoa normal, tendo a toda hora de lembrar a seus pulmões que eles devem agir como pulmões, fazendo força para aceitar como insolúvel a dor lancinante que vem lá de dentro por causa da falta de oxigenação. Eu não estava mentindo de todo. Estava só escolhendo uma das verdades.

Achei um banco entre uma loja de suvenires irlandeses, chamada Fountain Pen Emporium, e uma loja de bonés de beisebol — um canto do *shopping* que nem mesmo a Kaitlyn frequentaria, e comecei a ler o *Alvoradas à meia-noite*.

O livro tinha uma taxa de condenação-a-cadáver de quase 1:1, e eu o devorei sem tirar os olhos da página uma vez sequer. Gostava do Sargento Max Mayhem, mesmo a conduta dele não sendo muito "técnica", mas o que eu gostava, principalmente, era das suas aventuras, que *não paravam de acontecer*. Sempre havia mais caras do mal para matar e mais caras do bem para salvar. Novas guerras começavam antes mesmo de as antigas serem ganhas. Eu não lia uma série de verdade assim desde pequena, e estava animada por viver de novo numa ficção infinita.

A vinte páginas do fim do *Alvoradas à meia-noite* as coisas começaram a ficar um tanto ruins para o lado do Mayhem, quando ele foi atingido dezessete vezes na tentativa de resgatar uma refém (loira, norte-americana) que estava nas mãos do inimigo. Mas, no papel de leitora, não me desesperei. O esforço de guerra continuaria sem ele. Poderiam ser — e seriam — feitas continuações da história estrelando seus companheiros de grupo: o recruta Manny Loco, o soldado Jasper Jacks e os outros.

Eu estava para terminar o livro quando uma menininha de tranças surgiu na minha frente e perguntou:

— O que é isso no seu nariz?

— Humm. O nome disso é cânula. Esses tubos me dão oxigênio e me ajudam a respirar — respondi.

A mãe dela tomou a frente e disse:

— Jackie — demonstrando total desaprovação.

Mas eu falei:

— Não, não, está tudo bem. — Porque estava tudo bem mesmo.

E quando a Jackie perguntou:

— Eles me ajudariam a respirar também?

Respondi:
— Não sei. Vamos tentar.
Tirei a cânula e deixei a Jackie enfiá-la no nariz e respirar.
— Faz cosquinha — ela disse.
— Faz, não faz?
— Acho que estou respirando melhor — ela comentou.
— Mesmo?
— Mesmo.
— Bom — falei. — Eu gostaria de poder dar minha cânula para você, mas eu meio que preciso muito mesmo da ajuda dela.

Já começava a sentir falta de ar. Concentrei toda a atenção na minha respiração enquanto Jackie me devolvia os tubos. Dei uma limpadinha básica neles com a minha camiseta, encaixei-os atrás das orelhas e enfiei o cateter nas narinas.

— Obrigada por me deixar experimentar — ela disse.
— De nada.
— Jackie — a mãe falou de novo, e dessa vez eu a deixei ir.

Voltei para o livro, onde o Sargento Max Mayhem se lamentava por ter apenas uma vida para dar por seu país, mas continuei pensando na menininha e no quanto tinha gostado dela.

A outra coisa estranha em relação à Kaitlyn, acho, era que conversar com ela não parecia mais uma coisa natural. Quaisquer tentativas de simular interações sociais normais eram deprimentes porque ficava óbvio que todo mundo com quem eu falava em qualquer momento da minha vida se sentia constrangido e desconfortável comigo, exceto talvez crianças como a Jackie, que simplesmente não sabem nada da vida como ela é.

De qualquer forma, eu gostava mesmo de ficar sozinha. Gostei de ficar sozinha com o pobre Sargento Max Mayhem, que ai, *peraí*, ele não vai *sobreviver* a dezessete ferimentos a bala, vai?

(Para acabar com o suspense: ele sobrevive.)

CAPÍTULO QUATRO

Deitei cedo aquela noite, depois de trocar de roupa, colocar um *short*, uma camiseta e me enfiar debaixo das cobertas na minha cama de casal enorme, cheia de travesseiros — de todos os lugares no mundo, o meu preferido. Então comecei a ler *Uma aflição imperial* pela milionésima vez.

UAI é sobre uma menina chamada Anna e sua mãe de um olho só — uma paisagista obcecada por tulipas. As duas levam uma vida típica de classe média baixa numa cidadezinha da Califórnia, até que um dia a Anna é diagnosticada com um tipo raro de leucemia.

Mas esta não é uma *história de câncer*, porque livros assim são um horror. Tipo, em livros com histórias de câncer, a pessoa que tem o câncer abre uma instituição de caridade para arrecadar dinheiro e ajudar na pesquisa da cura da doença, certo? E o comprometimento com a caridade faz com que essa pessoa seja relembrada da bondade inerente ao ser humano, e se sinta amada e encorajada porque deixará um legado para a erradicação do câncer. Mas, no *UAI*, a Anna resolve que ser uma pessoa com câncer que abre uma instituição de caridade para ajudar nas pesquisas da própria doença é um tanto narcisista, então monta uma instituição chamada Fundação Anna para Pessoas com Câncer que Querem Curar o Cólera.

Além disso, a Anna é honesta em todos os aspectos, de um jeito que ninguém mais é de verdade: durante todo o livro ela se refere a si mesma como um *efeito colateral*, o que está absolutamente certo. Crianças com câncer são, no fundo, efeitos colaterais da mutação incessante que tornou a diversidade da vida na face da Terra possível. Aí, no decorrer da história, ela adoece ainda mais, a doença e os tratamentos competindo para ver quem a mata primeiro, e a mãe se apaixona por um vendedor de tulipas holandês que a Anna chama de o Homem das Tulipas Holandês. O Homem das Tulipas Holandês tem muito dinheiro e ideias bastante excêntricas a respeito de como tratar o câncer, mas a Anna acha que esse cara pode ser um vigarista e que talvez não seja nem mesmo holandês, e aí, no momento em que o provável holandês e a mãe dela estão prestes a se casar, e Anna está à beira de iniciar um novo tratamento doido envolvendo grama de trigo e pequenas doses de arsênico, o livro termina bem no meio de uma

Sei que essa é uma decisão bastante *literária*, e tal, e muito provavelmente parte do motivo pelo qual eu amo tanto esse livro, mas há um certo atrativo nas histórias que *terminam*. E se não dá para terem um fim, então pelo menos deveriam continuar indefinidamente, como as aventuras do pelotão do Sargento Max Mayhem.

Entendi que a história acabou porque a Anna morreu ou ficou tão mal que não conseguiu mais escrever, e que essa coisa de interromper a frase no meio pretendia refletir o modo como a vida acaba de verdade, e sei lá o quê, mas havia outros personagens além da Anna, e parecia injusto eu não poder saber o que aconteceu com eles. Escrevi, por intermédio do editor dele, várias cartas para o Peter Van Houten, cada uma pedindo respostas para perguntas relativas ao que acontece após o término do livro: se o Homem das Tulipas Holandês é um vigarista, se a mãe da Anna acaba se casando com ele, o que acontece com o *hamster* da Anna (que a mãe odeia), se os amigos da Anna concluem o ensino médio... essas coisas. Mas ele nunca respondeu a nenhuma das minhas cartas.

UAI foi o único livro escrito por Peter Van Houten, e tudo o que as pessoas pareciam saber a respeito do autor era que depois do lançamento do livro ele se mudou dos Estados Unidos para a Holanda e passou a viver recluso. Imaginei que ele estaria trabalhando numa continuação da história, ambientada na Holanda — talvez a mãe da Anna e o Homem das Tulipas Holandês tivessem se mudado para lá e estivessem tentando começar uma vida nova. Mas já fazia dez anos que *Uma aflição imperial* tinha sido lançado, e depois disso o Van Houten não publicou nenhum *post* num *blog* sequer. Eu não poderia esperar para sempre.

Enquanto lia o livro aquela noite, de vez em quando me distraía ao imaginar o Augustus Waters lendo as mesmas palavras que eu. Será que estava gostando, ou tinha parado no meio por achar o livro pretensioso? Aí me lembrei da promessa que fiz de ligar para ele assim que terminasse *O preço do alvorecer*, então peguei o número do telefone na primeira página do livro e mandei um torpedo para ele.

Opinião sobre *O preço do alvorecer*: muitos corpos.
Quantidade insuficiente de adjetivos. Como vai o *UAI*?

Ele respondeu um minuto depois:

Se lembro bem, você prometeu me LIGAR quando
terminasse de ler o livro, e não me mandar um SMS.

Aí eu liguei.
— Hazel Grace — ele disse ao atender.
— Você leu tudo?

— Não acabei ainda. O livro tem seiscentas e cinquenta e uma páginas e eu só tive vinte e quatro horas.
— Até onde chegou?
— Página quatrocentos e cinquenta e três.
— E?
— Nada de opiniões antes do fim. Mas tenho de admitir que estou meio envergonhado de ter dado *O preço do alvorecer* para você ler.
— Não fique. Já estou no *Réquiem para Mayhem*.
— Um acréscimo brilhante à série. Então tá, me diga, o cara das tulipas é um vigarista ou não é? Estou tendo um mau pressentimento com relação a ele.
— Nada de estragar o suspense — eu disse.
— Se ele for qualquer coisa diferente de um completo cavalheiro, vou arrancar os olhos dele fora.
— Então você está gostando do livro.
— Nada de opiniões antes do fim! Quando posso ver você?
— Com certeza, não até terminar *Uma aflição imperial*. — Eu adorava fazer jogo duro.
— Então é melhor eu desligar e começar a ler.
— Melhor mesmo — falei, e o telefonema acabou ali.

Paquerar era uma coisa nova para mim, mas eu estava gostando.

Na manhã seguinte eu tinha aula de Poesia Norte-americana do Século XX no MCC. Uma professora bem mais velha conseguiu falar noventa minutos da Sylvia Plath sem citar uma palavra da Sylvia Plath.

Quando saí da aula, mamãe estava parada no meio-fio na frente do prédio.

— Você ficou esperando aqui o tempo todo? — perguntei quando ela se apressou em me ajudar a puxar o carrinho e o cilindro para dentro do carro.

— Não. Peguei algumas roupas na lavanderia e fui à agência dos correios.
— E depois?
— Trouxe um livro para ler — ela disse.
— E *sou eu* quem precisa viver a minha vida. — Sorri, e ela tentou sorrir também, mas havia algo estranho em seu sorriso. Depois de alguns segundos, falei: — Que tal um cineminha?
— Boa ideia. Tem alguma coisa que você queira ver?
— Vamos fazer o de sempre: ir até lá e assistir ao filme que estiver para começar.

Ela fechou a porta do carro para mim e andou até o lado do motorista. Fomos ao cinema Castleton e assistimos a um filme 3-D sobre roedores falantes. No fim das contas, o filme até que era engraçado.

Quando saímos do cinema, vi que tinha recebido quatro torpedos do Augustus.

Diga que meu exemplar veio com as últimas vinte páginas faltando ou algo assim.

Hazel Grace, diga que eu não cheguei ao fim deste livro.

AI MEU DEUS ELES SE CASAM OU NÃO AI MEU DEUS O QUE É ISSO

A Anna morreu e a história acabou, é isso? CRUEL.
Ligue para mim quando puder. Espero que esteja tudo bem.

Então, quando cheguei à minha casa, fui direto para o quintal, me sentei numa cadeira de vime trançado meio velhinha que havia na varanda, e liguei para ele. O dia estava nublado, como sempre está em Indiana: o tipo de clima que deixa qualquer um deprimido. Ocupando quase toda a área do quintal ficava o balanço que eu usava na infância, e que agora tinha uma aparência toda alagada e patética.

O Augustus atendeu no terceiro toque.

— Hazel Grace — falou.

— Seja bem-vindo à doce tortura que é ler *Uma aflição*... — Parei ao ouvir um choro convulsivo do outro lado da linha. — Você está bem? — perguntei.

— Ah, maravilha — o Augustus respondeu. — Mas estou aqui com o Isaac, que está meio descompensado. — Mais choro. Como o grito de morte de algum animal ferido. O Gus deu atenção para o Isaac. — Cara. Cara. A Hazel do Grupo de Apoio ajuda ou atrapalha? Isaac. Preste. Atenção. Em. Mim. — Um minuto depois o Gus me perguntou: — Você pode vir até a minha casa em mais ou menos vinte minutos?

— Claro — respondi, e desliguei.

Se desse para ir em linha reta, eu levaria só uns cinco minutos da minha casa até a do Augustus de carro, mas não dá porque o Holliday Park está entre nós.

Mesmo sendo uma inconveniência geográfica, eu gostava muito do Holliday Park. Quando era pequena, costumava brincar no rio White com o papai, e sempre havia um momento fantástico em que ele me lançava no alto, me jogando para longe, eu esticava os braços durante o voo e papai, os dele, e então ambos víamos que nossos braços não iriam se tocar e que ninguém iria me pegar, o que nos assustava da melhor maneira possível, e aí eu, as pernas agitadas no ar, mergulhava na água e depois subia para respirar, ilesa, a corrente me levando de volta para ele enquanto eu dizia *de novo, papai, de novo*.

Estacionei na entrada de carros ao lado de um Toyota preto meio antigo modelo sedã. Imaginei que fosse o carro do

Isaac. Levando o cilindro no carrinho atrás de mim, andei até a porta de entrada. Bati. O pai do Gus atendeu.

— Só Hazel — exclamou. — Que bom ver você.

— O Augustus disse que eu poderia vir aqui.

— É. Ele e o Isaac estão no porão. — Naquele momento ouvi um choro vindo lá de baixo. — E esse é o Isaac — disse o pai do Gus, balançando a cabeça devagar. — Cindy precisou sair para dar uma volta de carro. O barulho... — ele falou, divagando. — Bem, de qualquer maneira, acho que você está sendo requisitada lá embaixo. Posso carregar seu cilindro? — ele perguntou.

— Não precisa, estou bem. Obrigada mesmo assim, Sr. Waters.

— Mark — ele disse.

Eu estava meio com medo de descer. Ouvir gente chorando convulsivamente não é um dos meus passatempos favoritos. Mas fui mesmo assim.

— Hazel Grace — disse o Augustus ao ouvir o ruído dos meus passos. — Isaac, a Hazel do Grupo de Apoio está descendo. Hazel, só para lembrar: o Isaac está no meio de um surto psicótico.

O Augustus e o Isaac estavam sentados em poltronas em formato de L, daquelas próprias para se jogar *videogame*, olhando para cima, para uma televisão gigantesca. A tela estava dividida entre o ponto de vista do Isaac, à esquerda, e o do Augustus, à direita. Eles eram soldados em guerra numa cidade contemporânea toda bombardeada. Reconheci o cenário como sendo o de *O preço do alvorecer*. Ao me aproximar, o que vi não tinha nada de anormal: só dois caras sentados, banhados pela luz de uma televisão enorme, fingindo matar pessoas.

Só quando fiquei bem ao lado deles pude ver o rosto do Isaac. Lágrimas corriam num fluxo contínuo por suas bochechas vermelhas, a cara dele uma máscara de dor. Ele olhava vidrado para a tela, sem virar nem um instantinho na minha direção, aos prantos, o tempo todo apertando os botões do controle.

— Está tudo bem, Hazel? — perguntou o Augustus.

— Estou bem — respondi. — Isaac?

Nenhuma resposta. Nem mesmo uma pista que determinasse se ele estava ou não consciente da minha presença ali. Só lágrimas descendo pelo rosto e encharcando a camiseta preta.

O Augustus tirou os olhos da tela só por um instante.

— Você está bonita — ele disse. Eu usava um vestido que ia até um pouquinho abaixo dos joelhos e que eu tinha havia séculos. — As garotas pensam que só podem usar vestidos em ocasiões formais, mas eu gosto da mulher que diz, tipo: *Estou indo ver um cara em meio a um colapso nervoso, um cara cuja ligação com o sentido da visão é tênue, e, que se dane, vou usar esse vestido para ele.*

— E mesmo assim — falei — o Isaac não é nem capaz de dar uma olhada rápida em mim. Apaixonado demais pela Monica, só pode ser. — Comentário esse que resultou num choro catastrófico.

— Este é um assunto delicado — o Augustus explicou. — Isaac, não sei por você, mas tenho a vaga impressão de que estamos sendo flanqueados. — E voltou a falar comigo: — O Isaac e a Monica não são mais um casal, mas ele não quer falar sobre isso. Só quer chorar e jogar *Counterinsurgence 2: O preço do alvorecer*.

— É justo — falei.

— Isaac, estou começando a ficar preocupado com a nossa localização. Caso concorde com isso, vá até aquela usina termoelétrica, e eu cubro você.

O Isaac correu para uma construção indistinta enquanto o Augustus atirava enlouquecidamente com uma metralhadora, numa série de rajadas rápidas, e corria atrás dele.

— De qualquer forma — o Augustus se dirigiu a mim —, não vai fazer nenhum mal *falar* com ele. Se tiver alguma palavra sábia, algum conselho feminino.

— Para falar a verdade, acho que a reação dele é, provavelmente, a mais apropriada — comentei, enquanto uma rajada da metralhadora do Isaac matou um inimigo que havia colocado a cabeça para fora da carcaça incendiada de um caminhão.

O Augustus fez que sim com a cabeça, ainda olhando para a tela.

— A dor precisa ser sentida — ele disse, e esta era uma frase do *Uma aflição imperial*. — Você tem certeza de que não há ninguém atrás de nós? — ele perguntou ao Isaac. Momentos depois, balas traçantes começaram a zumbir acima da cabeça deles. — Ai, que droga, Isaac — o Augustus disse. — Não quero criticar você num momento tão sensível como esse, mas deixou que fôssemos flanqueados, e agora não há nada entre os terroristas e a escola.

O personagem do Isaac partiu correndo na direção do fogo cruzado, ziguezagueando por uma passagem estreita.

— Vocês poderiam atravessar a ponte e dar a volta por trás — palpitei, uma tática que conhecia graças à minha leitura de *O preço do alvorecer*.

O Augustus suspirou.

— Infelizmente, a ponte já está sob o controle dos rebeldes devido à estratégia questionável do meu parceiro desconsolado aqui.

— Eu? — o Isaac disse, ofegante. — Eu?! Foi você quem sugeriu que nos metêssemos no raio da usina termoelétrica.

Gus desviou o olhar da tela por um segundo e deu seu sorriso torto para o Isaac.

— Eu sabia que você conseguia falar, meu chapa — ele disse. — Agora vamos salvar alguns estudantes mirins ficcionais.

Juntos, eles correram pela passagem estreita, atirando e se escondendo nos momentos certos, até chegarem a uma escola de um andar só e com apenas uma sala. Eles se agacharam atrás de uma parede do outro lado da rua e acertaram os inimigos, um a um.

— Por que eles querem entrar na escola? — perguntei.

— Pretendem fazer as crianças de reféns — o Augustus respondeu.

Os ombros dele estavam curvados e ele apertava os botões do controle, os antebraços rijos, as veias visíveis. O Isaac se inclinou para a frente, para a tela, o controle dançando na mão fina de dedos finos.

— Vai vai vai — o Augustus disse.

Ondas de terroristas continuaram surgindo, e eles dizimaram todos, os tiros surpreendentemente precisos, como tinham de ser, para que não acabassem atirando na escola.

— Granada! Granada! — o Augustus gritou quando alguma coisa passou desenhando um arco pela tela, quicou no caminho que levava à entrada da escola e então rolou, parando encostada na porta.

O Isaac largou o controle, de tão frustrado.

— Se esses desgraçados não conseguirem fazer reféns, vão matar todos eles e colocar a culpa em nós.

— Isaac, me cubra! — o Augustus falou ao pular de trás da parede e correr na direção da escola.

O Isaac pegou de volta o controle, sem jeito, e começou a atirar enquanto choviam balas em cima do Augustus, que foi atingido uma vez e depois duas, mas continuou a correr, gritando: *"VOCÊS NÃO PODEM MATAR MAX MAYHEM!"*, e com uma combinação final e afobada de apertos nos botões ele mergulhou em cima da granada, que detonou. Seu corpo desmembrado explodiu como um gêiser e a tela ficou toda vermelha. Uma voz gutural disse: "MISSÃO FRACASSADA", mas o Augustus não parecia concordar com isso enquanto sorria, vendo seus restos mortais na tela. Ele enfiou a mão no bolso, pegou um cigarro e colocou-o entre os dentes.

— Salvamos as crianças — ele disse.

— Por enquanto — observei.

— Todo salvamento é temporário — o Augustus retrucou.
— Eu proporcionei a elas mais um minuto. Talvez esse seja o minuto que vai proporcionar a elas mais uma hora, que é a hora que vai proporcionar a elas mais um ano. Ninguém vai dar a elas uma quantidade infinita de tempo, Hazel Grace, mas a minha vida deu a elas mais um minuto. E isso não é pouco.

— Opa, *peraí* — eu disse. — Estamos falando de *pixels* aqui.

Ele deu de ombros, como se acreditasse que o jogo pudesse ser realmente de verdade. O Isaac estava chorando de novo. O Augustus se virou para ele:

— Vamos tentar completar a missão mais uma vez, cabo?

O Isaac fez que não. Ele se inclinou pela frente do Augustus para olhar para mim e disse, as cordas vocais exigidas ao extremo:

— Ela não quis deixar para depois.

— Ela não quis terminar o namoro com um cara cego — falei.

Ele concordou, as lágrimas caindo na cadência de um metrônomo silencioso: constante, interminável.

— Ela disse que não conseguiria lidar com isso — o Isaac falou. — Estou prestes a perder a visão e *ela* não consegue lidar com isso.

Eu fiquei pensando no verbo *lidar*, e em todas as coisas não lidáveis com que se tem de lidar.

— Sinto muito — falei.

Ele enxugou o rosto todo molhado na manga da camisa. Por trás dos óculos, os olhos do Isaac pareciam tão grandes que tudo mais no rosto dele meio que desaparecia, e ficavam só aqueles dois olhos flutuantes e incorpóreos olhando para mim: um de verdade, um de vidro.

— Isso é inaceitável — ele me disse. — Isso é totalmente inaceitável.

— Bem, para ser honesta — falei —, quer dizer, ela *não deve mesmo* conseguir lidar com isso. Você também não, mas ela não *precisa*. E você, sim.

— Eu ficava dizendo "sempre" para ela hoje, "sempre, sempre, sempre", e ela só continuava falando ao mesmo tempo que eu, sem me escutar, e não disse "sempre" para mim. Era como se eu não estivesse mais ali, sabe? "Sempre" era uma promessa! Como é que você pode não cumprir uma promessa desse jeito?

— Às vezes as pessoas não têm noção das promessas que estão fazendo no momento em que as fazem — falei.

O Isaac me lançou um olhar ferino.

— Tá, tem razão. Mas você cumpre a promessa mesmo assim. Amar é *isso*. Amar é cumprir a promessa mesmo assim. Você não acredita em amor verdadeiro?

Não respondi. Não tinha uma resposta para aquela pergunta. Mas tive a sensação de que se o amor verdadeiro *existisse*, aquela seria uma definição bastante boa para ele.

— Eu acredito em amor verdadeiro — o Isaac disse. — Eu amo a Monica. E ela fez uma promessa. Ela *me prometeu para sempre*.

Ele ficou de pé e deu um passo na minha direção. Eu me levantei, achando que ele queria um abraço ou coisa assim, mas aí ele simplesmente deu meia-volta, como se não conseguisse se lembrar de por que tinha ficado em pé, e então o Augustus e eu vimos uma expressão de ódio tomar conta do rosto dele.

— Isaac — o Gus disse.

— O quê?

— Você parece um pouco... Não leve a mal o duplo sentido, amigo, mas há algo preocupante no seu olhar.

De repente, o Isaac começou a chutar enlouquecidamente a poltrona do *videogame*, que deu uma cambalhota para trás e foi parar perto da cama do Gus.

— E lá vamos nós — disse o Augustus. O Isaac seguiu a poltrona e chutou a coitada mais uma vez. — Isso aí — falou o Augustus. — Atrás dela. Chute a poltrona até não poder mais!

O Isaac chutou a poltrona de novo, até que ela bateu na cama do Gus, e aí ele pegou um dos travesseiros e começou a bater com ele na parede entre a cama e a prateleira de troféus. O Augustus olhou para mim, o cigarro ainda na boca, e deu aquele sorrisinho típico dele.

— Eu não consigo parar de pensar naquele livro.

— Nem me fale!

— Ele nunca disse o que acontece com os outros personagens?

— Não — respondi. O Isaac ainda estava batendo na parede com o travesseiro. — Ele se mudou para Amsterdã, o que me fez imaginar que talvez estivesse escrevendo a continuação da história, com o Homem das Tulipas Holandês como personagem principal, mas ele não publicou nada. Ele nunca é entrevistado. E não parece estar *on-line*. Já escrevi várias cartas perguntando o que acontece com todo mundo, mas ele nunca responde. Então... é isso.

Parei de falar porque o Augustus não parecia mais estar prestando atenção. Em vez disso, olhava para o Isaac com os olhos semicerrados.

— Espere um instante — ele murmurou para mim, andou até onde o Isaac estava e o agarrou pelos ombros. — Cara, travesseiros não quebram. Tente alguma coisa que quebre.

O Isaac pegou um troféu de basquete da prateleira acima da cama e o segurou no alto da cabeça, como se esperasse uma permissão.

— Isso — o Augustus disse. — Isso! — O troféu se espatifou no chão, o braço de plástico do jogador de basquete separado do corpo, ainda segurando a bola. O Isaac começou a pisotear o troféu. — Isso! — disse o Augustus. — Acabe com ele! — E, se virando para mim: — Já faz algum tempo que venho procurando uma forma de dizer ao meu pai que, na verdade, eu meio que odeio basquete, e acho que encontrei.

Os troféus vieram todos abaixo, um a um, e o Isaac pulava neles e gritava enquanto o Augustus e eu mantínhamos uma certa distância, as testemunhas daquela insanidade. Corpos mutilados de jogadores de basquete de plástico lotaram o chão acarpetado: num canto, uma bola sendo espalmada por uma mão sem corpo; no outro, duas pernas sem tronco no meio de um salto. O Isaac continuou atacando os troféus, pulando neles com os dois pés, gritando, ofegante, suado, até que, por fim, cansou e caiu em cima dos destroços.

O Augustus deu um passo na direção dele e olhou para baixo.

— Está se sentindo melhor? — perguntou.

— Não — murmurou o Isaac, o peito inflando por causa da respiração ofegante.

— Esse é o problema da dor — o Augustus disse, e aí olhou para mim. — Ela precisa ser sentida.

CAPÍTULO CINCO

Depois disso, fiquei sem falar com o Augustus mais ou menos uma semana. Liguei para ele na Noite dos Troféus Destroçados e, como manda a tradição, agora era a vez dele de me ligar. Mas não ligou. Não que eu estivesse com o celular na mão suada o dia inteiro, olhando para o aparelho, usando meu Vestido Amarelo Especial, esperando pacientemente que meu cavalheiro fizesse jus à sua alcunha. Segui a vida normalmente: encontrei com a Kaitlyn e com seu (bonitinho mas francamente nada augustiniano) namorado para tomar um café numa tarde dessas; tomei a dose diária recomendada de Falanxifor; assisti às aulas em três manhãs no MCC, e todas as noites sentei à mesa para jantar com minha mãe e meu pai.

Domingo à noite, comemos *pizza* com pimentão verde e brócolis. Estávamos sentados em volta da nossa pequena mesa redonda na cozinha quando meu celular começou a tocar, mas eu não podia nem colocar a mão nele pois nós seguimos uma regra rígida de nada-de-telefone-na-hora-do-jantar.

Então comi um pouco enquanto mamãe e papai conversavam sobre um terremoto que tinha acabado de acontecer em Papua-Nova Guiné. Eles tinham se conhecido no Corpo da

Paz em Papua-Nova Guiné, por isso, sempre que alguma coisa acontecia por lá, mesmo sendo algo terrível, era como se, de repente, eles não fossem mais duas criaturas gordas e sedentárias, mas sim os jovens, idealistas, independentes e radicais que haviam sido um dia. O êxtase deles era tão grande que nem sequer olharam para mim enquanto eu comia mais rápido que nunca, passando a comida do prato para a boca com uma velocidade e uma ferocidade que me fizeram até ficar um pouco sem fôlego, o que obviamente me deixou com medo de meus pulmões estarem de novo nadando numa piscina cheia de líquido. Tentei ao máximo afastar esse pensamento. Eu tinha uma tomografia agendada para dali a duas semanas. Se algo estivesse errado, eu saberia logo. Não adiantava nada começar a me preocupar naquela hora.

Mas, mesmo assim, eu me preocupava. Gostava de ser uma pessoa. E queria continuar sendo. A preocupação também é outro efeito colateral de se estar morrendo.

Por fim, acabei de comer e disse:

"Vocês me dão licença?"

Mas eles não fizeram sequer uma pausa na conversa que estavam tendo sobre o que funcionava e o que não funcionava na infraestrutura guineana. Peguei o celular na bolsa, que estava na bancada da cozinha, e conferi as chamadas recentes. *Augustus Waters*.

Saí pela porta dos fundos, em meio ao crepúsculo. Avistei o balanço, e pensei em andar até lá e me balançar enquanto falava com ele, mas a distância parecia muito grande levando em conta o fato de que *comer* já tinha me deixado cansada.

Em vez disso, deitei na grama junto à varanda, olhei para Órion, a única constelação que eu conseguia reconhecer, e liguei para ele.

— Hazel Grace — ele disse.

— Oi — falei. — Tudo bem?

— Maravilha — respondeu. — Tenho sentido vontade de ligar para você quase de minuto em minuto, mas estava esperando conseguir elaborar um pensamento coerente em ref. a *Uma aflição imperial*. (Ele disse "em ref.". Sem brincadeira. Aquele cara.)

— E? — perguntei.

— Acho que ele é, tipo. Ao ler esse livro, eu fico sentindo como se, se...

— Como se? — questionei, de provocação.

— Como se fosse um presente? — ele completou, num tom interrogativo. — Como se você tivesse me dado uma coisa importante.

— Ah — falei baixinho.

— Isso é brega — ele disse. — Foi mal.

— Não — falei. — Não. Não precisa se desculpar.

— Mas o livro não termina.

— É — concordei.

— Tortura. Eu *entendi* totalmente, tipo, entendi que ela morre ou sei lá o quê.

— Isso mesmo, foi o que eu deduzi — falei.

— E, tudo bem, é justo, mas existe um contrato silencioso entre autor e leitor, e acho que o fato de ele não terminar a história do livro meio que viola esse contrato.

— Não sei — ponderei, me colocando na defensiva por Peter Van Houten. — De certa forma, esse é um dos motivos pelos quais eu gosto do livro. Ele registra a morte com fidelidade. Você morre no meio da vida, no meio de uma frase. Mas eu quero, ai, como eu quero saber o que acontece com os outros. Foi isso o que perguntei a ele nas minhas cartas. Mas, sabe como é, ele nunca respondeu...

— Tá. Você disse que ele vive recluso?

— Exatamente.

— Que é impossível de ser localizado?

— Exatamente.
— Totalmente inalcançável — o Augustus disse.
— Infelizmente, sim — falei.
— "Prezado Sr. Waters" — ele continuou. — "Escrevo para agradecer sua correspondência eletrônica, recebida por intermédio da Srta. Vliegenthart neste dia seis de abril, enviada dos Estados Unidos da América, conquanto se possa dizer que a geografia ainda exista na nossa contemporaneidade triunfantemente digitalizada."
— Augustus, que diabos é isso?
— Ele tem uma assistente — o Augustus disse. — Lidewij Vliegenthart. Achei o contato dela. Mandei um *e-mail* para ela. Ela repassou a mensagem para ele. Ele respondeu usando a conta dela.
— Tá, tá. Continue lendo.
— "Minha resposta está sendo escrita com tinta e papel na tradição gloriosa de nossos ancestrais e, em seguida, transcrita pela Srta. Vliegenthart numa série de 1s e 0s que viajam através da rede enfadonha que vem iludindo nossa espécie nos últimos tempos, por isso peço perdão por quaisquer erros ou omissões que disso possam resultar.

"Dada a orgia de entretenimento à disposição dos jovens de sua geração, fico grato por qualquer um, em qualquer lugar, que destine a quantidade de horas necessárias para ler meu humilde livro. Mas me sinto especialmente em dívida com sua pessoa, senhor, tanto por suas gentis palavras a respeito de *Uma aflição imperial* quanto por se dar o trabalho de me dizer que o livro, e aqui o cito *ipsis litteris*, 'significou muito mesmo' para o senhor.

"Esse comentário, no entanto, leva-me a elucubrar: o que quer dizer com *significou*? Dada a frivolidade derradeira de nossa luta pela vida, terá algum valor a efêmera carga de significado que a arte nos empresta? Ou o único valor estará em passarmos o tempo o mais confortavelmente possível? O que uma história ficcional deveria pretender emular, Augustus? O soar de um alarme? Um grito de guerra? Uma injeção de morfina? Obviamente, como todas as interrogações do universo, esta linha de investigação inevitavelmente reduz-nos a perguntar o que significa ser humano e — pegando emprestada uma frase dos jovens angustiados de dezesseis anos que o senhor sem dúvida repudia — *se há algum sentido nisso tudo.*

"Temo que não haja, caro amigo, e que você receberia alentos insuficientes em encontros ulteriores com minha composição literária. Porém, respondendo a sua pergunta: não, não escrevi nada mais, nem escreverei. Não creio que continuar a compartilhar meus pensamentos com os leitores irá beneficiá-los, ou a mim. Obrigado, novamente, por seu generoso *e-mail*.

"Atenciosamente, Peter Van Houten, por intermédio de Lidewij Vliegenthart."

— Uau — falei. — Você está inventando isso?

— Hazel Grace, eu seria capaz, com minha capacidade intelectual limitada, de escrever uma carta fingindo ser o Peter Van Houten, com frases como "nossa contemporaneidade triunfantemente digitalizada"?

— Não, não seria — admiti. — Você pode... você pode me passar o endereço de *e-mail*?

— Claro — o Augustus respondeu, como se não fosse o melhor presente do mundo.

Passei as duas horas que se seguiram escrevendo um *e-mail* para o Peter Van Houten. Parecia piorar a cada vez que eu reescrevia, mas eu não conseguia parar.

Prezado Sr. Peter Van Houten
(a/c Lidewij Vliegenthart),

> Meu nome é Hazel Grace Lancaster. Meu amigo, Augustus Waters, que leu *Uma aflição imperial* seguindo

minha recomendação, acabou de receber um *e-mail* do senhor desse endereço. Espero que não se importe pelo fato de o Augustus ter compartilhado o *e-mail* comigo.

Sr. Van Houten, eu entendo, pelo conteúdo da sua mensagem para o Augustus, que o senhor não planeja publicar outros livros. De certa forma, estou desapontada, mas também aliviada: não vou precisar mais temer que seu próximo livro não fique à altura da magnífica perfeição do primeiro. Como sobrevivente, há três anos, de um câncer em estágio IV, posso dizer que o senhor acertou todas as medidas no *Uma aflição imperial*. Ou pelo menos o senhor acertou todas as *minhas* medidas. Seu livro tem um jeito de me dizer o que estou sentindo antes mesmo de eu sentir, e já o li várias vezes.

No entanto, gostaria de saber se o senhor se importaria em responder a algumas perguntas sobre o que acontece após o término do livro. Entendo que acaba porque a Anna morre ou fica tão doente que não consegue mais escrever, só que eu gostaria muito mesmo de saber o que acontece com a mãe da Anna — se ela se casa com o Homem das Tulipas Holandês, se chega a ter outro filho, se continua no endereço 917 W. Temple etc. Além disso, o Homem das Tulipas Holandês é um vigarista ou ele as ama de verdade? O que acontece com os amigos da Anna — em especial a Claire e o Jake? Eles ficam juntos? E, para concluir — imagino que este seja o tipo de pergunta profunda e significativa que o senhor sempre esperou que seus leitores fizessem —, o que acontece com Sísifo, o *hamster*? Essas questões vêm me atormentando há anos — e não sei quanto tempo vou poder esperar pelas respostas.

Sei que não são perguntas literariamente importantes e que o livro é cheio de perguntas literariamente importantes, mas gostaria muito mesmo de saber.

E, é claro, se o senhor algum dia resolver escrever qualquer outra coisa, mesmo que não queira publicar, eu adoraria ler. Para ser sincera, eu leria até a sua lista de compras de supermercado.

Atenciosamente e com grande admiração,
Hazel Grace Lancaster
(16 anos)

Assim que enviei a mensagem, liguei para o Augustus e nós ficamos acordados até tarde falando do *Uma aflição imperial*, e li para ele o poema da Emily Dickinson de onde o Van Houten tirou um dos versos que usou como título, e ele disse que eu era ótima recitando poemas e que não fazia pausas muito longas nas quebras dos versos, e aí ele me disse que o sexto livro da série "O preço do alvorecer" — *O sangue aprova* — começa com a citação de uma parte de um poema. Ele demorou um pouco para achar o livro, mas por fim leu o trecho para mim: "Dizer que sua vida acabou. O último beijo bem dado / Você deu e está distante no passado."

— Nada mal — falei. — Mas pretensioso. Acho que o Max Mayhem chamaria isso de "coisa de maricas".

— É, e sem dúvida diria isso com os dentes cerrados. Caramba, como o Mayhem cerra os dentes nesses livros. Com certeza vai acabar tendo distúrbio de ATM se sobreviver a todos os combates. — E, então, depois de alguns segundos, o Gus perguntou: — Quando foi seu último beijo bem dado?

Parei para pensar. Meus beijos — todos pré-diagnóstico — tinham sido meio sem jeito e muito babados, e, em algum

nível, sempre tive a sensação de que éramos crianças brincando de ser adultos. Mas, obviamente, isso foi há muito tempo.
— Há muitos anos — respondi, por fim. — E você?
— Eu dei alguns beijos bem dados na minha ex-namorada, Caroline Mathers.
— Há muitos anos?
— O último foi há menos de um ano.
— O que aconteceu?
— Durante o beijo?
— Não, com você e a Caroline.
— Ah — ele disse. E então, depois de alguns segundos: — A Caroline não sofre mais de "pessoalidade".
— Ah — falei.
— É — ele disse.
— Sinto muito — completei.
Eu conheci várias pessoas que morreram, lógico. Mas nunca namorei uma. Não conseguia nem imaginar isso, sério.
— Não é culpa sua, Hazel Grace. Somos todos apenas efeitos colaterais, certo?
— Cracas no navio cargueiro da consciência — falei, citando o *UAI*.
— O.k. — ele disse. — Preciso ir dormir. Já é quase uma hora.
— O.k. — falei.
— O.k. — ele disse.
Eu ri e repeti:
— O.k.
Aí a linha ficou silenciosa, mas não completamente muda. Era quase como se ele estivesse ali no meu quarto comigo, mas de um jeito ainda melhor — como se eu não estivesse no meu quarto e ele, não no dele, mas, em vez disso, estivéssemos juntos numa invisível e tênue terceira dimensão até onde só podíamos ir pelo telefone.

— O.k. — ele disse, depois do que pareceu ser uma eternidade. — Talvez *o.k.* venha a ser o nosso *sempre*.
— O.k. — falei.
E foi o Augustus quem desligou.

Peter Van Houten respondeu ao *e-mail* do Augustus quatro horas depois, mas já se tinham passado dois dias e ele ainda não havia respondido ao meu. O Augustus me garantiu que era porque minha mensagem era melhor e exigia uma resposta mais elaborada, que o Van Houten estava ocupado redigindo as respostas às minhas perguntas e que uma prosa genial demorava para ser escrita. Mas, ainda sim, fiquei tensa.

Na quarta-feira, durante a aula de Poesia Norte-americana para Leigos 101, recebi uma mensagem de texto do Augustus:

O Isaac saiu da cirurgia. Correu tudo bem. Ele está oficialmente SEC.

SEC queria dizer "sem evidência de câncer". Uma segunda mensagem de texto chegou alguns segundos depois.

Quer dizer, ele está cego. Então é ruim.

Naquela tarde, mamãe concordou em me emprestar o carro para que eu pudesse ir até o Memorial visitar o Isaac.
Fui até o quarto dele no quinto andar, bati à porta mesmo estando aberta e uma voz de mulher disse:
— Entre.
Era uma enfermeira que estava fazendo alguma coisa com as ataduras nos olhos dele.
— Oi, Isaac — falei.
— Monica? — ele perguntou.

— Ah, não. Foi mal. Não. É a Hazel. A Hazel do Grupo de Apoio? A Hazel da noite-dos-troféus-destroçados?

— Ah — ele disse. — Pois é. As pessoas ficam me dizendo que os outros sentidos vão ficar mais aguçados para compensar, mas ISSO OBVIAMENTE AINDA NÃO ACONTECEU. Oi, Hazel do Grupo de Apoio. Chegue mais perto para que eu possa examinar seu rosto com as mãos e enxergar sua alma com mais profundidade do que qualquer outro ser que tenha o dom da visão.

— Ele está brincando — disse a enfermeira.

— É — falei. — Deu para perceber.

Dei alguns passos na direção do leito. Puxei uma cadeira e me sentei, pegando na mão dele.

— E aí? — falei.

— E aí? — ele disse.

E aí ficamos em silêncio um tempo.

— Como você está se sentindo? — perguntei.

— Bem — ele disse. — Não sei.

— O que você não sabe?

Olhei para a mão dele porque não queria encarar o rosto vendado pelas ataduras. O Isaac roía as unhas, e pude ver que havia sangue nos cantos de alguns dedos.

— Ela nem me visitou — ele comentou. — Tipo, nós ficamos juntos um ano e dois meses. Um ano e dois meses é muito tempo. Cara, isso dói.

O Isaac soltou minha mão para tatear à procura da bombinha que você pressiona para receber uma dose de analgésicos.

A enfermeira, ao terminar de trocar a atadura, deu um passo atrás.

— Só faz um dia, Isaac — ela disse, o tom de voz meio condescendente. — Você precisa de um tempo para se recuperar. E um ano e dois meses *não é* tanto tempo assim, não num contexto maior. Você está só começando a vida, rapaz. Você vai ver.

A enfermeira foi embora.

— Ela já saiu?

Eu fiz que sim com a cabeça, mas me dei conta de que ele não pôde ver meu gesto.

— Saiu — falei.

— Eu vou ver? Sério? Ela disse isso de verdade?

— Qualidades de uma Boa Enfermeira: Liste — pedi.

— Primeira: não fazer trocadilhos com a deficiência alheia — o Isaac começou.

— Segunda: tirar o sangue na primeira tentativa — continuei.

— Na moral, essa é megaimportante. Tipo, esse é meu braço ou o alvo de um jogo de dardos? Terceira: não falar de um jeito condescendente.

— Como está passando, querido? — perguntei, fazendo cara de nojo. — Vou enfiar uma agulha em você agora. Pode ser que doa um pouquinho.

— O queridinho da titia está dodoizinho? — ele continuou. E, então, após alguns segundos: — A maioria delas é legal, na verdade. Mas só o que eu quero é sumir daqui.

— Daqui, tipo, do hospital?

— Daqui também — ele disse. E comprimiu os lábios. A dor era visível. — Posso ser honesto? Eu penso muito mais na Monica que no meu olho. Isso é loucura? É loucura.

— É um pouquinho — concordei.

— Mas eu acredito em amor verdadeiro, sabe? Não acho que todo mundo possa continuar tendo dois olhos nem que possa evitar ficar doente, e tal, mas todo mundo *deveria* ter um amor verdadeiro, que deveria durar pelo menos até o fim da vida da pessoa.

— É — falei.

— Às vezes eu queria que nada disso tivesse acontecido. Nada de câncer.

A fala dele foi ficando mais lenta. O analgésico estava fazendo efeito.

— Sinto muito — falei.
— O Gus veio aqui mais cedo. Ele estava aqui quando eu acordei. Matou aula. Ele... — A cabeça tombou um tiquinho para o lado. — Melhorou — falou baixinho.
— A dor? — perguntei.
Ele fez que sim com a cabeça, bem de leve.
— Que bom — falei. E aí, como a egoísta que sou: — Você estava dizendo alguma coisa sobre o Gus?
Mas o Isaac já estava fora do ar.

Desci até a lojinha sem janelas do hospital e perguntei à voluntária idosa sentada num banco atrás da caixa registradora qual flor tinha o aroma mais marcante.
— Todas têm o mesmo cheiro. Elas recebem um jato de essência aromatizante — ela respondeu.
— Sério?
— É. Eles borrifam isso nas flores.

Abri a porta de vidro do refrigerador de flores à esquerda dela, cheirei algumas rosas e depois me inclinei sobre alguns cravos. Mesmo cheiro. E megaforte. Os cravos eram mais baratos, então peguei uma dúzia dos amarelos. Custaram quatorze dólares. Voltei para o quarto; a mãe do Isaac estava lá, segurando a mão dele. Ela era jovem e muito bonita.

— Você é amiga do Isaac? — perguntou, o que soou para mim como uma daquelas perguntas involuntariamente genéricas e irrespondíveis.

— Humm... é... Sou do Grupo de Apoio. As flores são para ele.

Ela as apanhou e pôs no colo.
— Você conhece a Monica? — perguntou.
Fiz que não com a cabeça.
— Bem, ele está dormindo — ela disse.
— É. Eu falei com ele alguns minutos atrás, quando estavam trocando as ataduras, e tal.

— Fiquei chateada por ter de deixá-lo nesse momento, mas precisei buscar o Graham na escola — ela disse.
— Correu tudo bem — falei.
— Ela balançou a cabeça afirmativamente.
— Eu deveria deixá-lo dormir em paz.
Ela balançou de novo a cabeça. Eu saí.

Na manhã seguinte, acordei cedo e fui logo verificar meus e-mails. lidewij.vliegenthart@gmail.com tinha finalmente respondido.

Cara Srta. Lancaster,

Temo que sua fé tenha sido depositada no lugar errado — mas, para falar a verdade, é isso o que geralmente acontece com a fé. Não posso responder às suas perguntas, pelo menos não por escrito, porque redigir tais respostas constituiria uma continuação de *Uma aflição imperial*, que a senhorita poderia acabar publicando ou compartilhando na rede global que substituiu os cérebros de sua geração. Poderíamos utilizar o telefone, mas, nesse caso, a senhorita poderia acabar gravando a conversa. Não que eu não confie em você, é claro, mas não confio em você. Ai de mim, cara Hazel, eu jamais poderia responder a tais perguntas exceto pessoalmente, e você está aí, ao passo que eu estou aqui.

Dito isso, devo confessar que o recebimento inesperado de sua correspondência por intermédio da Srta. Vliegenthart me alegrou: que maravilha saber que criei algo que lhe foi útil — embora esse livro pareça estar tão distante de mim que sinto como se tivesse sido escrito por um homem totalmente diferente.
(O autor daquele livro era, comparativamente falando, tão sensível, tão frágil, tão otimista!)

Entretanto, se algum dia por acaso se encontrar em Amsterdã, faça-me uma visita em seu tempo livre. Em geral, estou em casa. Eu até permitiria que você espiasse minha lista de compras.

Atenciosamente,
Peter Van Houten
a/c Lidewij Vliegenthart

— O QUÊ?! — gritei bem alto. — QUE RAIO DE VIDA É ESSA?

Mamãe veio correndo.

— O que aconteceu?

— *Nada* — garanti a ela.

Ainda nervosa, mamãe se ajoelhou para verificar o Felipe e se certificar de que estava condensando o oxigênio direito. Eu me imaginei sentada num café ao ar livre num dia de sol com Peter Van Houten, ele com os cotovelos apoiados na mesa, falando baixinho para que ninguém mais ouvisse o depoimento do que aconteceu com os outros personagens. Passei vários anos pensando naquilo. Ele disse que não poderia me contar *exceto pessoalmente*, e aí *me convidou para ir a Amsterdã*. Expliquei tudo para minha mãe e concluí com:

— Preciso ir.

— Hazel, eu te amo, e você sabe que eu realizaria todos os seus desejos, mas nós não temos... não temos dinheiro para uma viagem internacional, e a despesa que teríamos com o aluguel de equipamentos por lá... meu amor, isso não é...

— É — falei, interrompendo a frase dela. Percebi o quão absurdo tinha sido eu sequer considerar aquela possibilidade. — Não se preocupe. — Mas ela parecia preocupada.

— É tão importante assim para você? — mamãe perguntou e se sentou, a mão na minha batata da perna.

— Seria simplesmente fantástico se eu fosse a única pessoa, além dele, a saber o que acontece — admiti.

— Seria fantástico mesmo — ela comentou. — Vou falar com seu pai.

— Não. Não fale — eu disse. — Sério, por favor, não gaste dinheiro com isso. Vou pensar em alguma coisa.

Passou pela minha cabeça o fato de eu ser o motivo pelo qual meus pais estavam sempre sem dinheiro. Eu havia esgotado as economias da família com as doses de Falanxifor, e mamãe não podia trabalhar porque tinha assumido o cargo de Pairar Sobre Mim em expediente integral. Eu não queria deixar os dois mais endividados ainda.

Disse à mamãe que eu queria ligar para o Augustus só para que ela saísse do quarto, porque eu não conseguia suportar aquela cara triste do tipo não-consigo-realizar-os-sonhos-da-minha-filha.

Seguindo o estilo Augustus Waters, li a mensagem para ele sem nem dizer alô.

— Uau — ele devolveu.

— Pois é — falei. — Como é que eu vou poder ir até Amsterdã?

— Você tem um Desejo? — ele perguntou, se referindo a uma instituição chamada Fundação Gênio, que se dedica a realizar um desejo de crianças doentes.

— Não — respondi. — Gastei o meu antes do Milagre.

— O que você fez?

Dei um suspiro bastante ruidoso.

— Eu tinha treze anos — comentei.

— Ah, não. Disney, não — ele disse. Fiquei quieta. — Você não foi à Disney World. — Continuei quieta. — Hazel GRACE! — ele gritou. — Você *não gastou* seu único Desejo indo à Disney World com seus pais.

— Ao Epcot Center também — murmurei.

— Ai, meu Deus! — o Augustus disse. — Não acredito que eu esteja a fim de uma garota com desejos tão clichês.

— Eu tinha *treze anos* — repeti, embora, é claro, só conseguisse pensar no *a fim, a fim, a fim, a fim, a fim*. Eu estava lisonjeada mas mudei imediatamente de assunto. — Você não deveria estar na escola ou coisa assim?

— Matei aula para fazer companhia ao Isaac, mas ele está dormindo, por isso fiquei aqui no saguão estudando geometria.

— E como andam as coisas por aí? — perguntei.

— Não dá para saber ao certo se o Isaac simplesmente não está pronto para enfrentar a gravidade da deficiência dele ou se está mesmo se importando mais com o fato de ter levado um fora da Monica, mas ele não fala de outra coisa.

— É — eu disse. — Ele vai ficar no hospital por quanto tempo?

— Alguns dias. Depois disso vai para uma clínica de reabilitação ou coisa do gênero por um tempo, mas tem permissão para dormir em casa.

— Que droga isso — eu disse.

— A mãe dele está vindo. Tenho que ir.

— O.k.

— O.k. — ele respondeu, e pude ouvir o sorriso torto em sua voz.

No sábado, meus pais e eu fomos à feira em Broad Ripple. O dia estava ensolarado, o que é raro em Indiana no mês de abril, e todo mundo lá na feira estava de manga curta, ainda que a temperatura não justificasse isso. Nós, habitantes de Indiana — os famosos *hoosiers* —, somos excessivamente otimistas com relação ao verão. Mamãe e eu nos sentamos num banco de frente para um fabricante de sabonete de leite de cabra — um homem de macacão que tinha de explicar a cada uma das pessoas que passava por ali que, sim, as cabras eram dele e, não, sabonete de leite de cabra não cheira a cabra.

Meu celular tocou.

— Quem é? — Mamãe perguntou antes mesmo que eu olhasse para o aparelho.

— Não sei — respondi, mas era o Gus.

— Você está em casa? — ele perguntou.

— Ah, não — eu disse.

— Essa era uma pergunta retórica. Eu já sabia a resposta porque estou na sua casa.

— Ah. Humm. Bem, nós estamos a caminho, acho.

— Beleza. Vejo você daqui a pouco.

Vimos o Augustus Waters sentado na escada quando embicamos na entrada de carros. Ele segurava um buquê de tulipas cor de laranja prestes a desabrochar e estava usando uma camiseta do Indiana Pacers por baixo do casaco, uma escolha de indumentária que parecia totalmente despropositada, mas até que caía bem nele. Ele fez força para se levantar, me entregou as tulipas e perguntou:

— Vamos sair para um piquenique?

Eu fiz que sim com a cabeça, pegando as flores.

Meu pai veio por trás de mim e cumprimentou o Gus com um aperto de mão.

— Essa é a camiseta do Rik Smits? — perguntou.

— Essa mesma.

— Nossa, eu adorava esse cara — papai disse, e os dois engrenaram imediatamente uma conversa sobre basquete da qual eu não tinha condições de (e nem queria) participar, então levei minhas tulipas para dentro de casa.

— Você quer que eu as coloque num vaso? — mamãe perguntou assim que entrei, sorrindo de orelha a orelha.

— Não, obrigada — respondi.

Se colocássemos as tulipas num vaso na sala de estar, elas seriam de todos. E eu queria que fossem só minhas.

Fui para o meu quarto mas não troquei de roupa. Penteei o cabelo, escovei os dentes, coloquei brilho labial e a menor quantidade de perfume possível, o tempo todo espiando as flores. Elas eram *excessivamente* laranja, corriam até o risco de serem consideradas feias de tão laranja que eram. Eu não tinha um vaso nem nada parecido, então tirei a escova de dente de dentro do porta-escova de dente e o enchi até a metade com água, deixando as flores lá no banheiro.

Quando voltei para o quarto ouvi vozes, então me sentei na beira da cama por alguns instantes e fiquei escutando a conversa pela porta entreaberta.

Papai: "Então você conheceu a Hazel no Grupo de Apoio."

Augustus: "Foi, sim, senhor. Sua casa é adorável. Gostei muito das pinturas nas paredes."

Mamãe: "Obrigada, Augustus."

Papai: "Então, você também é um sobrevivente?"

Augustus: "Sou. Não cortei fora essa camarada aqui pelo simples prazer de fazer isso, embora seja uma estratégia de perda de peso excelente. Pernas pesam!"

Papai: "E como anda a saúde?"

Augustus: "SEC. Há um ano e dois meses."

Mamãe: "Isso é maravilhoso. As opções de tratamento disponíveis hoje... é realmente impressionante."

Augustus: "Eu sei. Tenho sorte."

Papai: "Você precisa entender que a Hazel ainda está doente, Augustus, e que ficará assim para o resto da vida. Ela vai querer acompanhar seu ritmo, mas os pulmões..."

Foi quando apareci, e ele parou de falar.

— Então, aonde é que vocês vão? — mamãe perguntou.

O Augustus ficou em pé e aproximou a boca do ouvido dela, sussurrando a resposta, e depois encostou o indicador nos lábios.

— Shh... — ele disse. — É segredo.

Mamãe sorriu.

— Você está levando o celular? — ela me perguntou. Mostrei o aparelho para provar que estava, apoiei o carrinho do oxigênio nas rodinhas da frente e comecei a andar. O Augustus se apressou para me alcançar e me ofereceu o braço, que aceitei. Segurei no bíceps dele.

Infelizmente ele insistiu em dirigir, para que a surpresa pudesse continuar sendo surpresa. Enquanto pulávamos aos trancos em direção ao nosso destino, falei:

— Minha mãe ficou totalmente encantada com você.

— É, e seu pai é fã do Smits, o que ajuda muito. Você acha que eles gostaram de mim?

— Com toda certeza. Mas, quem se importa? Eles são só pais.

— Eles são *seus* pais — o Augustus falou, olhando de relance para mim. — Além disso, eu gosto de ser gostado. Isso é loucura?

— Bem, você não precisa sair correndo para abrir a porta para mim ou me encher de elogios para que eu goste de você.

Ele pisou bruscamente no freio e eu voei para a frente com tanta violência que meu fôlego ficou esquisito, quase o perdi. Pensei na tomografia. *Não se preocupe. Não adianta se preocupar.* Mas me preocupei mesmo assim.

Fritamos o pneu dando uma arrancada quando o sinal abriu e viramos à esquerda na erroneamente designada Avenida Bela Vista (ela dá vista para um campo de golfe, mas não é nada bela). O único lugar que vinha à minha cabeça naquela direção era o cemitério. O Augustus enfiou a mão no console, abriu um maço cheio de cigarros e tirou um.

— Você nunca joga os cigarros fora? — perguntei.

— Um dos benefícios de não fumar é que os maços duram *para sempre* — ele respondeu. — Já tenho esse aqui há quase um ano. Alguns cigarros estão rachados perto do filtro, mas acho que esse maço consegue chegar até meu aniversário de dezoito

anos. — Ele segurou o filtro entre os dedos e o colocou na boca. — Então tá — falou. — Tá. Liste as coisas que você nunca vê em Indianápolis.
— Humm. Adultos magros — falei.
Ele riu.
— Boa. Continue.
— Humm. Praias. Restaurantes que passam de pai para filho. Relevo.
— Todos excelentes exemplos de coisas que faltam por aqui. E, também, programas culturais.
— Ah, é. Nós ficamos um pouco a desejar no quesito programas culturais — falei, deduzindo, enfim, aonde ele estaria me levando. — Estamos indo ao museu?
— De certa forma.
— Ah, nós vamos àquele parque, e tal?
O Gus pareceu esvaziar.
— É. Nós vamos àquele parque, e tal — falou. — Você já descobriu, não descobriu?
— Humm. Descobri o quê?
— Nada.

Havia um parque atrás do museu onde vários artistas fizeram grandes esculturas. Já tinha ouvido falar dessa instalação, mas nunca a visitara. Passamos de carro pela porta do museu e estacionamos perto de uma quadra de basquete repleta de arcos de aço enormes, azuis e vermelhos, que simulavam a trajetória de uma bola quicando.

Andamos por um caminho que, para os padrões de Indianápolis, é considerado uma ladeira, até chegar a uma clareira onde crianças escalavam a escultura de um esqueleto de proporções gigantescas. Os ossos iam mais ou menos até a altura da cintura e o fêmur era mais comprido que eu. Parecia o desenho, feito por uma criança, de um esqueleto brotando do chão.

Meu ombro doía. Fiquei com medo de o câncer ter se espalhado para além dos pulmões. Imaginei meu tumor metastatizando para os ossos, abrindo buracos no meu esqueleto, uma enguia rastejante com intenções perversas.

— "Ossos Maneiros" — o Augustus disse. — Criado por Joep Van Lieshout.

— Parece holandês.

— E é — o Gus falou. — Assim como o Rik Smits. E as tulipas.

O Gus parou no meio da clareira com os ossos bem na nossa frente e tirou a alça da mochila de um dos ombros, e depois do outro. Abriu o fecho e tirou de lá uma toalha cor de laranja, uma garrafa de suco de laranja e alguns sanduíches de pão de forma sem casca embalados em plástico filme.

— Qual é a desse laranja todo? — perguntei, ainda não querendo me permitir imaginar que tudo aquilo levaria a Amsterdã.

— É a cor nacional da Holanda, obviamente. Você se lembra de Guilherme I, o Príncipe de Orange, e tal?

— Ele não caiu no teste que fiz para conseguir o diploma do ensino médio. — Sorri, tentando conter minha empolgação.

— Vai um sanduíche? — ele perguntou.

— Deixe eu adivinhar... — falei.

— Queijo holandês. E tomate. Os tomates vieram do México. Foi mal.

— Você é sempre tão *decepcionante*, Augustus. Não podia pelo menos ter comprado tomates cor de laranja?

Ele riu, e nós comemos os sanduíches em silêncio, vendo as crianças brincando na escultura. Eu não podia simplesmente *perguntar* nada a respeito daquilo, por isso só continuei sentada ali, rodeada de holandesidades, meio constrangida, meio esperançosa.

A distância, banhado pela luz solar imaculada, tão rara e preciosa em nossa cidade natal, um bando de crianças barulhentas fazia um esqueleto de *playground*, pulando para a frente e para trás entre os ossos protéticos.

— Tem duas coisas que eu adoro nessa escultura — o Augustus disse. Ele segurava o cigarro apagado entre os dedos, dando batidinhas nele como se descartasse as cinzas. E o colocou de novo na boca. — Em primeiro lugar, a distância entre os ossos é tal que, se você é criança, *não consegue resistir à tentação* de pular entre eles. Tipo, você simplesmente *tem* que pular da caixa torácica até o crânio. O que significa que, em segundo lugar, essa escultura essencialmente *força as crianças a brincar nos ossos*. As ressonâncias simbólicas são infinitas, Hazel Grace.

— Você gosta mesmo de símbolos — falei, na esperança de conduzir a conversa de volta na direção dos muitos símbolos da Holanda presentes em nosso piquenique.

— Certo. Por falar nisso, você deve estar se perguntando por que está comendo um sanduíche de queijo ruim e bebendo suco de laranja, e por que eu estou usando a camiseta de um holandês que praticava um esporte que eu aprendi a odiar.

— É, isso passou pela minha cabeça — falei.

— Hazel Grace, como várias crianças já fizeram, e digo isso com todo respeito, você gastou seu Desejo precipitadamente, sem se preocupar muito com as consequências. O ceifador a encarava e o medo de morrer ainda carregando o Desejo não concedido em seu bolso proverbial fez com que corresse atrás do primeiro Desejo em que conseguiu pensar, e você, como tantos outros, escolheu os prazeres inexpressivos e artificiais do parque temático.

— Na verdade, eu me diverti muito naquela viagem. Eu conheci o Pateta e a Minn...

— Estou no meio de um monólogo! Eu escrevi isso e decorei, e se você me interromper vou errar tudo — o Augustus me cortou. — Por favor, continue comendo o sanduíche e prestando atenção. — (O sanduíche estava tão seco que não dava nem para morder, mas eu sorri e tirei um pedaço mesmo assim.) — Certo. Onde eu estava?

— Nos prazeres artificiais.

Ele guardou o cigarro no maço.

— Certo. Os prazeres inexpressivos e artificiais do parque temático. Mas deixe-me ressaltar que os verdadeiros heróis da Fábrica de Desejos são os jovens homens e mulheres que esperam, como Vladimir e Estragon esperam Godot, e como boas moças cristãs esperam o casamento. Esses jovens heróis esperam estoicamente, e sem reclamar, até que seu único e verdadeiro Desejo venha até eles. É certo que talvez o Desejo nunca chegue, mas pelo menos esses jovens podem descansar em paz em seu túmulo sabendo que fizeram sua parte na preservação da integridade do Desejo como um ideal. Porém, pensando bem, talvez seu Desejo *vá se revelar*, no fim das contas: talvez você perceba que seu único e verdadeiro Desejo é visitar o genial Peter Van Houten em seu exílio amsterdamês, e você ficará feliz, de fato, por ter poupado seu Desejo.

O Augustus fez uma pausa longa no discurso, o suficiente para que eu percebesse que o monólogo tinha chegado ao fim.

— Mas eu não poupei o meu Desejo — falei.

— Ah — ele disse. E, então, após o que pareceu ser uma pausa calculada, acrescentou: — Mas eu poupei o meu.

— Sério?

Fiquei surpresa com o fato de o Augustus ser elegível para um Desejo, afinal de contas ele ainda estava estudando e a remissão do câncer dele já durava mais de um ano. Era preciso estar muito doente para que os Gênios lhe concedessem algo.

— Ganhei o meu em troca da perna — ele explicou. Um facho de luz batia no rosto do Gus, de uma forma que o fazia apertar os olhos para me olhar, o nariz enrugando de um jeito adorável. — Bem, eu não vou dar meu Desejo para você nem nada. Mas também tenho interesse em conhecer o Peter Van

Houten, e não faria sentido conhecer o homem sem a menina que me apresentou ao livro dele.

— Definitivamente não faria sentido — falei.

— Por isso conversei com os Gênios e eles concordaram em gênero, número e grau. Disseram que Amsterdã fica linda no início de maio. E sugeriram que viajássemos no dia três e voltássemos no dia sete.

— Augustus, isso é sério?

Ele estendeu o braço, tocou minha bochecha e, por um instante, pensei que iria me beijar. Meu corpo todo ficou tenso, e acho que ele percebeu, porque afastou a mão.

— Augustus — falei. — Sério. Você não precisa fazer isso.

— Claro que preciso — ele disse. — Eu encontrei o meu Desejo.

— Cara, você é demais — falei para ele.

— Aposto que diz isso para todos os garotos que bancam viagens internacionais para você — ele retrucou.

CAPÍTULO SEIS

Quando cheguei à minha casa, mamãe estava dobrando minhas roupas lavadas enquanto assistia a um programa de TV chamado *The View*. Contei para ela que as tulipas, o artista holandês e todo o resto eram porque o Augustus estava usando o Desejo dele para me levar a Amsterdã.
— Isso é um exagero — ela disse, balançando a cabeça negativamente. — Não podemos aceitar algo assim de um garoto praticamente desconhecido.
— Ele não é desconhecido. Ele é, tranquilamente, meu segundo melhor amigo.
— Depois da Kaitlyn?
— Depois de você — eu disse.
Era verdade, mas falei aquilo mais porque queria ir a Amsterdã.
— Vou consultar a médica — ela disse, depois de alguns instantes.

A Dra. Maria disse que eu não poderia ir a Amsterdã sem a companhia de um adulto que estivesse familiarizado com o meu caso, o que mais ou menos queria dizer ou a minha mamãe ou a própria médica. (Meu pai entendia o funcionamento do meu câncer da mesma forma que eu: do jeito vago e superficial que as pessoas entendem como funcionam os circuitos elétricos e as marés. Mas minha mãe sabia mais a respeito do carcinoma diferenciado de tireoide em adolescentes que muitos oncologistas.)

— Então você vai comigo — falei. — Os Gênios vão bancar tudo. Os Gênios são cheios da grana.

— Mas seu pai... — ela disse. — Ele sentiria nossa falta. Não seria justo com ele. Seu pai não pode se ausentar do trabalho.

— Tá brincando? Você não acha que o papai iria adorar passar alguns dias vendo programas de TV que não envolvessem aspirantes a modelos, pedindo *pizza* todas as noites e usando toalhas de papel como prato para não precisar lavar a louça?

Mamãe riu. Até que enfim ela começou a se animar, e digitou tarefas no celular: precisaria ligar para os pais do Gus e falar com os Gênios sobre minhas necessidades médicas, e eles já reservaram o hotel?, e quais são os melhores guias turísticos sobre Amsterdã?, e nós deveríamos fazer uma pesquisa se só vamos passar três dias lá, e daí por diante. Eu estava com um pouco de dor de cabeça, então engoli duas cápsulas de Advil e resolvi tirar um cochilo.

Mas acabei ficando só deitada na cama, repassando na mente o filme completo do piquenique com o Augustus. Não conseguia parar de pensar naquele breve momento em que fiquei completamente tensa, quando ele me tocou. Por algum motivo, aquele gesto suave e íntimo me pareceu errado. Achei que talvez tivesse sido pelo jeito orquestrado como as coisas aconteceram: o Augustus foi incrível, mas tinha exagerado em tudo no piquenique, culminando nos sanduíches metaforicamente ressonantes, mas horrorosos, e no monólogo memorizado que impedia um diálogo. O clima era todo Romântico, mas não romântico.

Mas a verdade é que eu nunca quis que ele me beijasse, não do jeito que se espera que uma pessoa deseje essas coisas. Quer dizer, ele era lindo. Eu me sentia atraída por ele. Pensava nele *daquele jeito*, pegando emprestada uma expressão do vocabulário pré-adolescente. Mas o toque de verdade, o toque realizado... parecia que estava tudo errado.

Aí comecei a ter medo de *ter que* ficar com ele para ir a Amsterdã, o que não é o tipo de coisa que você quer ficar pensando, porque: (a) o fato de eu querer beijar o Gus não deveria estar nem em *questão*, e (b) beijar alguém para conseguir uma viagem de graça é algo perigosamente próximo da prostituição total e irrestrita, e devo confessar que, embora eu não me considerasse uma pessoa particularmente angelical, nunca pensei que meu primeiro ato sexual seria prostitucional.

Mas, no fim das contas, ele não tinha tentado me beijar; ele só encostou no meu rosto, o que não é nem nada *sexual*. Não foi um gesto programado para provocar excitação, mas com certeza foi um movimento calculado, porque o Augustus Waters não era de improvisar. Então qual era exatamente a intenção dele? E por que eu resisti?

Em algum momento, percebi que estava Kaitlynizando o encontro, então resolvi mandar uma mensagem de texto para a Kaitlyn e pedir um conselho. Ela me ligou imediatamente.

— Estou com um problema com um garoto — falei.

— DELÍCIA — Kaitlyn exclamou.

Contei tudo a ela, incluindo os detalhes do momento constrangedor no qual ele tocou meu rosto, deixando de fora apenas Amsterdã e o nome do Augustus.

— Tem certeza de que ele é um gato? — ela perguntou quando terminei.

— Absoluta — respondi.

— Do tipo atlético?

— É. Ele jogava basquete na North Central.

— Uau. Como você conheceu ele?

— Naquele Grupo de Apoio medonho.

— Ahn — Kaitlyn falou. — Só por curiosidade, quantas pernas esse cara tem?

— Tipo, uma inteira e um pedacinho da outra — respondi, sorrindo.

Os jogadores de basquete eram famosos em Indiana, e ainda que a Kaitlyn não frequentasse a North Central, sua capacidade de estabelecer conexões sociais era infinita.

— Augustus Waters — ela disse.
— Talvez?
— Ai, meu Deus. Já vi o Augustus em festas. As coisas que eu faria com aquele cara. Quer dizer, não agora que sei que está interessada nele. Mas, meu Deus do céu, eu montaria naquele pônei perneta e daria uma volta inteira no curral.
— Kaitlyn — falei.
— Foi mal. Você acha que precisaria ficar por cima?
— Kaitlyn — repeti.
— Sobre o que estávamos falando mesmo? Certo, você e o Augustus Waters. Quem sabe... você é *gay*?
— Acho que não. Quer dizer, eu gosto dele.
— Ele tem mãos feias? Às vezes, pessoas bonitas têm mãos feias.
— Não. As mãos dele são, tipo, incríveis.
— Humm — ela disse.
— Humm — falei.

Depois de um segundo, Kaitlyn prosseguiu:
— Você se lembra do Derek? Ele terminou comigo na semana passada porque resolveu que no fundo havia algo fundamentalmente incompatível entre nós e que acabaríamos nos magoando se continuássemos com o relacionamento. Ele chamou aquilo de *término preventivo do namoro*. Então, pode ser que você tenha algum pressentimento de que haja algo fundamentalmente incompatível entre vocês e esteja prevenindo a prevenção.
— Humm — falei.

— Só estou pensando alto aqui.
— Sinto muito pelo Derek.
— Ah, eu já superei, amada. Foram necessários uma caixa de *cookies* de chocolate com menta e quarenta minutos para esquecer aquele garoto.

Eu ri.

— Bem, obrigada, Kaitlyn.
— Na eventualidade de você ficar com ele, quero todos os detalhes picantes.
— Mas é claro — eu disse, e aí a Kaitlyn me mandou um beijo estalado e eu completei: — Tchau.

E ela desligou.

Enquanto escutava a Kaitlyn falando, me dei conta de que eu não tinha um pressentimento de que iria magoá-lo. Eu tinha um "pós-sentimento".

Peguei o *laptop* e dei uma busca em Caroline Mathers. As semelhanças físicas eram impressionantes: o mesmo rosto esteroidalmente redondo, o mesmo nariz, aproximadamente a mesma compleição física. Mas os olhos dela eram castanho-escuros (os meus são verdes) e a cor da pele dela era mais morena, e tal.

Milhares de pessoas — literalmente milhares — tinham deixado mensagens de condolências para ela. Era uma lista infinita de pessoas que sentiam sua falta, tantas que levei uma hora clicando na barra lateral para passar dos *posts* que diziam: *É uma pena que você tenha morrido*, até chegar aos que confessavam: *Estou rezando por você*. Caroline tinha morrido havia um ano de câncer cerebral. Consegui acessar algumas fotos dela. O Augustus estava em várias das mais antigas: apontando para a cicatriz chanfrada que atravessava a cabeça raspada dela e fazendo um sinal de positivo com o polegar da outra mão; de braços dados com ela no *playground* do Hospital Memorial, de costas para a câmera; beijando a

Caroline enquanto ela segurava a câmera à frente deles, só deixando à mostra seus narizes e os olhos fechados.

As fotos que tinham sido postadas mais recentemente eram todas da Caroline de antes, quando ainda era saudável, carregadas para sua página pelos amigos depois de sua morte: uma menina linda, os quadris largos e curvilíneos, o cabelo liso e preto caindo no rosto. Minha versão saudável se parecia muito pouco com a versão saudável dela. Mas nossas versões cancerosas poderiam muito bem ter sido irmãs. Não me admira que ele tenha ficado me olhando, vidrado, na primeira vez que me viu.

Cliquei várias vezes em um dos *posts*, escrito dois meses atrás, nove depois de sua morte, por um dos amigos dela. *Todos sentimos muito sua falta. É uma dor que não passa. Parece que fomos todos feridos durante a sua batalha, Caroline. Saudades. Te amo.*

Depois de um tempo, mamãe e papai me chamaram para jantar. Fechei o computador e me levantei, mas não consegui tirar aquele *post* da cabeça, e por algum motivo ele me deixou nervosa e sem fome.

Fiquei pensando no ombro que doía e, além disso, a dor de cabeça ainda não havia passado, mas talvez fosse só porque eu tinha ficado pensando numa garota que morreu de câncer no cérebro. Comecei a tentar me convencer a compartimentalizar, para me concentrar ali na mesa redonda (sem dúvida de um diâmetro muito grande para três pessoas e definitivamente grande demais para duas) com aquele brócolis empapado e um hambúrguer de feijão-preto que nem todo o *ketchup* do mundo conseguiria tornar suculento. Falei para mim mesma que imaginar uma metástase no cérebro ou no ombro não afetaria a realidade invisível que estava rolando dentro de mim, e que, portanto, tais pensamentos eram instantes desperdiçados numa vida composta de um conjunto, por definição, finito de tais instantes. Até cheguei a repetir mentalmente que eu deveria viver o melhor da minha vida hoje.

Fiquei tentando entender durante horas e horas por que uma coisa escrita por um total desconhecido na Internet para uma outra (e falecida) desconhecida estava me incomodando tanto e me deixando com medo de que houvesse algo no meu cérebro — que de fato doía, embora eu soubesse por anos de experiência que a dor é um instrumento de diagnóstico obtuso e inespecífico.

E porque nenhum terremoto havia ocorrido em Papua-Nova Guiné naquele dia, meus pais estavam hiperconcentrados em mim, com isso, não consegui disfarçar a torrente de ansiedade.

— Está tudo bem? — mamãe me perguntou enquanto eu comia.

— A-hã — respondi. Dei uma mordida no hambúrguer. Engoli. Tentei dizer algo que uma pessoa normal cujo cérebro não estivesse mergulhado em pânico diria. — Tem brócolis nesses hambúrgueres?

— Um pouquinho — papai disse. — Legal isso de você talvez ir a Amsterdã.

— É — falei.

Tentei tirar a palavra *feridos* da cabeça, o que, obviamente, era uma forma de pensar nela.

— Hazel — mamãe disse. — Onde você está com a cabeça?

— Só estou pensando — falei.

— Está vendo coelhinhos na lua — meu pai disse, sorrindo.

— Eu não estou vendo coelhinho nenhum, não estou apaixonada pelo Gus Waters nem por ninguém — respondi, defensivamente demais.

Feridos. Tipo, Caroline Mathers era uma bomba, e quando ela explodiu todo mundo em volta foi atingido pelos estilhaços.

Papai me perguntou se eu estava fazendo algum trabalho para a escola.

— Tenho um dever de casa de álgebra bastante complexo — respondi. — Tão complexo que eu não conseguiria de jeito nenhum explicar para um leigo.

— E como está o seu amigo Isaac?
— Cego — respondi.
— Você está agindo como uma aborrecente hoje — mamãe disse, e parecia incomodada com aquilo.
— Não é isso o que você queria, mãe? Que eu assumisse minha adolescência?
— Bem, não era necessariamente *desse* tipo de adolescência que eu estava falando, mas é claro que seu pai e eu estamos felizes em ver você se tornando uma jovem mulher, fazendo amigos, namorando.
— Eu não estou namorando — falei. — Eu não quero namorar ninguém. É uma péssima ideia e uma grande perda de tempo...
— Querida — minha mãe disse. — Qual é o problema?
— Eu sou tipo. Tipo. Sou tipo uma *granada*, mãe. Eu sou uma granada e, em algum momento, vou explodir, e gostaria de diminuir a quantidade de vítimas, tá?

Meu pai inclinou a cabeça um pouquinho para o lado, como se fosse um cachorrinho que acabou de ser repreendido.

— Eu sou uma granada — repeti. — Só quero ficar longe das pessoas, ler livros, pensar e ficar com vocês dois, porque não há nada que eu possa fazer para não ferir vocês; vocês estão envolvidos demais, por isso me deixem fazer isso, tá? Não estou deprimida. Não preciso sair mais. E não posso ser uma adolescente normal porque sou uma granada.

— Hazel — papai disse, e então ficou com um nó na garganta. Ele chorava muito, meu pai.

— Vou para meu quarto ler um pouco, tá? Estou bem. Estou bem, de verdade; só quero ir ler um pouco.

Comecei folheando o livro que me mandaram ler na escola, mas nós morávamos numa casa de paredes extremamente finas e, por isso, pude ouvir a maior parte da conversa sussurrada que se seguiu. Meu pai dizendo: "Isso acaba comigo", e minha mãe falando: "Isso é tudo o que ela não precisa ouvir", e meu pai continuando: "Sinto muito, mas...", e minha mãe retrucando: "Você não é grato?", e ele respondendo: "Meu Deus, claro que sou grato". Fiquei tentando me concentrar na história, mas não conseguia parar de prestar atenção nos dois.

Aí liguei o computador para ouvir um pouco de música, e com o grupo preferido do Augustus, o The Hectic Glow, como trilha sonora, voltei para as páginas de homenagens a Caroline Mathers, lendo sobre como sua luta foi heroica, e como ela fazia falta, e como estava num lugar melhor, e como viveria *para sempre* na memória deles, e como todos os que a conheceram — todos — estavam arrasados por perdê-la.

Talvez o normal fosse eu odiar a Caroline Mathers, ou sei lá o quê, por ter sido namorada do Augustus, mas eu não a odiava. Não dava para distinguir claramente como ela era através daquelas homenagens, mas não parecia haver muito o que odiar — ela parecia ter sido, acima de tudo, uma doente profissional, como eu, o que me deixou com medo de que, quando eu morresse, eles não tivessem mais nada a dizer sobre mim exceto que lutei heroicamente, como se a única coisa que eu tivesse feito na vida fosse Ter Câncer.

De qualquer forma, depois de um tempo, comecei a ler as pequenas atualizações sobre o estado da Caroline Mathers, que na maior parte foram escritas por seus pais, na verdade, porque acho que o tumor cerebral dela era do tipo que transforma você em outra pessoa antes de fazer você deixar de ser uma pessoa.

Eram todos mais ou menos assim: *Caroline continua a ter problemas de comportamento. Ela está sentindo muita raiva e frustração por não conseguir falar (nós também ficamos frustrados com isso, claro, mas temos formas mais socialmente aceitáveis de lidar com a raiva). O Gus passou a chamar a Caroline de HULK ESMAGA, o que repercutiu entre os médicos. Nada é fácil nisso tudo para nenhum de nós, mas é preciso levar a vida com algum humor, da melhor forma possível. Esperamos voltar para casa na quinta-feira. Manteremos vocês informados...*

Seria desnecessário dizer, mas ela não voltou para casa na quinta-feira.

Então é claro que fiquei toda tensa quando ele me tocou. Estar com o Augustus era feri-lo — inevitavelmente. E foi isso o que senti quando ele estendeu o braço: senti como se estivesse cometendo um ato de violência contra ele, porque era isso o que eu estava fazendo.

Resolvi mandar uma mensagem de texto. Quis evitar uma conversa inteira a respeito.

Oi, então tá, eu não sei se você vai entender isso, mas não posso beijar você nem nada. Não que você tenha necessariamente tido vontade de fazer isso, mas não posso.

Quando tento olhar para você desse jeito, tudo o que vejo são as coisas pelas quais vou fazer você passar. Isso talvez não faça sentido para você.

De qualquer forma, sinto muito.

Ele respondeu alguns minutos depois.

O.k.

Mandei minha resposta.

O.k.

Ele respondeu:

Ai, meu Deus, pare de flertar comigo!

Eu só disse:

O.k.

Meu celular vibrou alguns instantes depois.

Eu estava brincando, Hazel Grace. Eu entendo. (Mas nós dois sabemos que o.k. é uma expressão bastante "paquerativa". Ela está CARREGADA de sensualidade.)

Fiquei bastante tentada a responder *O.k.* de novo, mas imaginei a cena dele no meu enterro, e aquilo me ajudou a mandar a mensagem certa.

Foi mal.

Tentei dormir com os fones ainda no ouvido, mas aí, depois de um tempo, minha mãe e meu pai entraram no quarto, e mamãe pegou o Azulzinho da prateleira e o abraçou, e papai se sentou na cadeira da minha escrivaninha e, sem chorar, disse:

— Você não é uma granada. Não para nós. Pensar na sua morte nos deixa tristes, Hazel, mas você não é uma granada. Você é incrível. Você não tem como saber, querida, porque nunca teve um bebê que cresceu e se tornou uma jovem leitora genial com um interesse incidental em programas de televisão detestáveis, mas a alegria que você nos dá é muito maior que a tristeza que sentimos com a sua doença.

— Tá — falei.

— Sério — meu pai disse. — Eu não mentiria para você sobre esse assunto. Se você nos desse mais trabalho do que merece, simplesmente jogaríamos você na rua.

— Não somos sentimentais — mamãe acrescentou, com uma expressão impassível no rosto. — Teríamos deixado você num orfanato com um bilhete preso em seu pijama.

Eu ri.

— Você não precisa ir ao Grupo de Apoio — ela continuou. — Não precisa fazer nada. Só ir à escola. — E me entregou o urso.

— Acho que o Azulzinho pode dormir na prateleira hoje — falei. — Você precisa lembrar que eu tenho mais de trinta e três meios anos.

— Fique com ele hoje.

— Mãe — falei.

— Ele está se sentindo *solitário*.

— Ai, meu Deus, mãe! — exclamei.

Mas peguei o raio do Azulzinho e meio que me aconcheguei a ele enquanto adormecia.

Na verdade, eu ainda estava com um dos braços entrelaçados com o urso quando acordei pouco depois das quatro da manhã com uma dor apocalíptica latejando no centro inalcançável da minha cabeça.

CAPÍTULO SETE

Gritei para acordar meus pais e eles entraram no quarto como dois furacões, mas não havia nada que pudessem fazer para diminuir a intensidade da supernova que explodia na minha cabeça, uma cadeia interminável de fogos de artifício intracranianos que me fizeram pensar que minha hora tinha chegado de vez, e tentei me convencer — como já tinha feito antes — de que o corpo desliga quando a dor fica insuportável demais, que a consciência é temporária e que tudo vai passar. Mas, como sempre, não desmaiei. Fui deixada na areia com as ondas batendo em mim, sem poder me afogar.

Papai foi dirigindo enquanto falava com o hospital ao celular, eu deitada no banco de trás com a cabeça apoiada no colo da minha mãe. Não havia nada a fazer: gritar só piorava. Para falar a verdade, qualquer estímulo só piorava.

A única solução seria tentar desmanchar o mundo, torná-lo negro e silencioso e inabitado de novo, voltar ao momento anterior ao Big Bang, no começo, quando havia o Verbo, e viver naquele espaço não criado e vazio sozinha com o Verbo.

As pessoas falam da coragem dos pacientes de câncer, e eu não a nego. Por vários anos fui cutucada, cortada e envenenada, e segui em frente. Mas não se enganem: naquele momento, eu teria ficado muito, muito feliz em morrer.

Acordei na UTI. Pude perceber que era a UTI porque não estava num quarto particular, e porque havia vários aparelhos bipando, e porque eu estava sozinha: eles não deixam a família ficar na UTI do Hospital Pediátrico vinte e quatro horas por dia, sete dias por semana porque isso representaria risco de infecção. Ouvi um choro vindo do fim do corredor. O filho de alguém tinha morrido. Eu estava sozinha. Apertei o botão vermelho para chamar alguém.

Uma enfermeira apareceu alguns segundos depois.

— Oi — falei.

— Oi, Hazel. Sou Alison, sua enfermeira — ela disse.

— Oi, Alison Minha Enfermeira — falei.

Depois disso comecei a me sentir muito cansada de novo. Mas fiquei acordada por um tempo quando meus pais entraram, chorando, e me deram vários beijos. Tentei erguer o tronco para abraçar os dois, e tudo em mim doeu quando os abracei, e mamãe e papai me contaram que não havia nenhum tumor no meu cérebro, e que minha dor de cabeça tinha sido causada por má oxigenação, o que por sua vez foi provocado pelo fato de meus pulmões estarem nadando em líquido, um litro e meio (!!!!) que tinha sido drenado com sucesso do meu peito, e era por isso que eu talvez fosse sentir um leve desconforto ao deitar de lado, onde havia, *ei, veja isso*, um tubo que ia do meu peito até um recipiente de plástico com líquido até a metade, que, juro, parecia a cerveja preferida do meu pai. Mamãe me disse que eu iria para casa, de verdade, que só teria de fazer essa drenagem de vez em quando e que precisaria voltar a usar o BiPAP, o equipamento noturno que força a entrada e a saída de ar dos meus pulmões de araque. Mas eu tinha feito uma tomografia computadorizada de corpo inteiro na primeira noite no hospital, segundo eles, e a notícia era boa: nenhum crescimento de tumor. Nada de novos tumores. A dor no meu ombro tinha sido falta de oxigenação. Dores de um coração trabalhando mais que o normal.

— Hoje de manhã a Dra. Maria nos disse que continua otimista — papai falou.

Eu gostava da Dra. Maria, e ela não era de mentir, por isso adorei ouvir aquilo.

— Isso é só um detalhe, Hazel — minha mãe disse. — É um detalhe com o qual conseguiremos conviver.

Assenti com a cabeça, e então a Minha Enfermeira Alison meio que fez com que eles saíssem, educadamente. Ela me perguntou se eu queria umas pedrinhas de gelo e eu disse que sim, e aí ela se sentou na cama comigo e me deu as pedrinhas na boca, de colher.

— Então você ficou fora do ar alguns dias — a Alison disse. — Humm... O que você perdeu?... Uma celebridade se drogou. Políticos brigaram. Uma outra celebridade usou um biquíni que revelou uma imperfeição corporal. Um time venceu um campeonato, mas outro time perdeu. — Eu sorri. — Você não pode continuar se isolando do mundo assim, Hazel. Você perde muita coisa.

— Mais? — interroguei, fazendo um gesto com a cabeça na direção do copo branco de isopor que estava na mão dela.

— Eu não deveria — ela respondeu —, mas sou rebelde. — E me deu outra colherada do gelo triturado.

Murmurei um "obrigada". Graças a Deus pelas boas enfermeiras.

— Está ficando cansada? — ela perguntou.

Fiz que sim.

— Durma um pouco — ela completou. — Vou tentar mexer uns pauzinhos e lhe dar algumas horas antes que entre alguém para verificar seus sinais vitais e coisas do gênero.

Agradeci mais uma vez. Em hospitais, você agradece o tempo todo. Tentei me ajeitar no leito.

— Você não vai perguntar nada sobre seu namorado? — ela me questionou.

— Eu não tenho namorado — falei.

— Bem, um garoto mal saiu da sala de espera desde que você chegou aqui — ela disse.

— Ele não me viu assim, viu?

— Não. Só a família.

Assenti com a cabeça e mergulhei num sono aquoso.

Ainda faltariam seis dias para eu voltar para casa, seis dias perdidos olhando para o isolamento acústico no teto, vendo televisão, dormindo, sentindo dor e querendo que o tempo passasse logo. Não vi o Augustus nem ninguém além dos meus pais. Meu cabelo parecia um ninho de passarinho; meu passo de cágado, o de um paciente com demência. Mas a cada dia me sentia ligeiramente melhor: cada sono acabava revelando uma criatura que se parecia um pouco mais comigo. O sono combate o câncer, disse meu médico, Jim, pela milésima vez quando pairou sobre mim certa manhã, rodeado por um grupo de estudantes de medicina.

— Então eu sou uma máquina de combate ao câncer — disse para ele.

— Isso você é mesmo, Hazel. Continue descansando e, com sorte, poderemos mandá-la para casa logo.

Na terça-feira, eles me disseram que eu iria para casa na quarta. Na quarta, dois residentes minimamente supervisionados removeram o dreno do meu tórax. A sensação foi de estar levando uma facada de dentro para fora, o que, no fim das contas, não saiu como deveria, por isso eles decidiram que eu teria de ficar até quinta. Já estava começando a pensar que eu era objeto de algum experimento existencialista de gratificação postergada em modo contínuo quando, na sexta-feira de manhã, a Dra. Maria apareceu, me farejou por um minuto e me disse que eu poderia ir embora.

Aí a mamãe abriu sua enorme bolsa e mostrou que lá dentro estavam, desde sempre, minhas Roupas de Ir Para Casa. Uma enfermeira veio e retirou os aparatos da terapia intravenosa. Eu me senti livre, mesmo ainda tendo de carregar o cilindro de oxigênio para todo lado. Entrei no banheiro, tomei meu primeiro banho em uma semana e me vesti. Quando saí, estava tão cansada que tive de deitar para recuperar o fôlego.

— Você quer ver o Augustus? — minha mãe perguntou.

— Pode ser — respondi, após alguns instantes.

Eu me levantei e me transferi para uma das cadeiras de plástico encostadas na parede, enfiando o cilindro debaixo dela. Aquilo acabou comigo.

Papai voltou com o Augustus minutos depois. O cabelo dele estava bagunçado, caindo na testa. Seu rosto se iluminou com um legítimo Sorriso Bobo *à la* Augustus Waters quando me viu, e também não consegui evitar um sorriso. Gus se sentou na poltrona reclinável azul de couro falso que estava perto da minha cadeira. Ele se inclinou para a frente, se aproximando de mim, aparentemente incapaz de conter o sorriso.

Mamãe e papai nos deixaram sozinhos, o que foi meio constrangedor. Eu me esforcei para olhar nos olhos dele, embora fossem tão lindos que eram quase impossíveis de encarar.

— Estava com saudade de você — o Augustus disse.

Minha voz saiu mais baixa do que eu gostaria.

— Obrigada por não tentar me ver quando eu parecia ter saído do inferno.

— Para falar a verdade, sua aparência ainda não está lá essas coisas.

Eu ri.

— Senti saudade de você também. Só não quero que você veja... tudo isso. Só quero, tipo... Não tem importância. Não é sempre que a gente pode ter o que quer.

— Sério? — ele perguntou. — Sempre pensei que o mundo fosse uma fábrica de realização de desejos.

— Acontece que não é esse o caso — falei. Ele era tão belo... Levantou a mão para pegar a minha mas eu balancei a cabeça negativamente. — Não — falei baixinho. — Se vamos ficar juntos, tem de ser, tipo, não assim.

— Tá — ele disse. — Bem, eu tenho boas e más notícias no campo da realização de desejos.

— Então? — falei.

— A má notícia é que, obviamente, não vamos poder ir a Amsterdã até você melhorar. Mas os Gênios vão executar a famosa magia deles quando estiver se sentindo bem o suficiente.

— Essa é a boa notícia?

— Não. A boa notícia é que, enquanto você dormia, Peter Van Houten compartilhou um pouco mais de sua mente genial conosco.

Ele aproximou a mão da minha de novo, dessa vez para colocar nela uma folha bem dobrada, um papel timbrado sob o nome de Peter Van Houten, Romancista Emérito.

Não li a carta até entrar em casa e deitar na minha enorme cama vazia, sem qualquer chance de interrupção médica. Levei horas tentando decifrar a escrita inclinada e garranchosa de Van Houten.

Caro Sr. Waters,

Acabei de receber sua correspondência eletrônica com data de 14 de abril e estou devidamente impressionado com a complexidade shakespeariana de seu drama. Todos nessa história têm uma *hamartia* sólida como uma rocha: a dela, estar tão doente; a sua, estar tão bem. Se ela estivesse melhor ou o senhor, mais doente, então as estrelas não estariam tão terrivelmente cruzadas, mas é da natureza das estrelas se cruzar, e nunca Shakespeare esteve tão equivocado como quando fez Cássio declarar: "A culpa, meu caro Bruto, não é de nossas estrelas / Mas de nós mesmos." Fácil falar quando se é um nobre romano (ou Shakespeare!), mas não há qualquer escassez de culpa em meio às nossas estrelas.

Permanecendo no assunto das falhas do bom e velho William, seu texto acerca da jovem Hazel me fez recordar o soneto cinquenta e cinco do bardo, que, como o senhor deve saber, começa assim: "Nem o mármore, nem os áureos mausoléus / De reis hão de durar mais que meu verso ardente; / Mas nele brilhareis mais refulgentemente / Do que a pedra largada aos ultrajes do tempo." (Fugindo um pouco do assunto, mas: que meretriz é o tempo. Nos fode a todos.) É um lindo poema, porém, enganoso: com certeza, nos lembramos dos versos ardentes de Shakespeare, mas o que temos em mente sobre a pessoa que ele homenageia? Nada. Temos quase certeza de que se trata de um homem; tudo mais é suposição. Shakespeare nos revelou muito pouco sobre o homem que sepultou em seu sarcófago linguístico. (Perceba também que, quando falamos de literatura, o fazemos no tempo presente. Quando falamos dos mortos, não somos tão generosos.) Não se imortaliza a perda escrevendo sobre eles. A escrita enterra, mas não ressuscita. (Declaração total e irrestrita: não sou o primeiro a fazer esta observação. Cf. o poema de

MacLeish "Nem o mármore, nem os áureos mausoléus", que contém o verso heroico: "Direi que morrerás e não se lembrarão de teu passado.")
 Estou a divagar, mas eis a falha: os mortos são visíveis apenas através do terrível olho vigilante da memória. Os vivos, graças aos céus, mantêm a capacidade de surpreender e de decepcionar. Sua Hazel está viva, Waters, e o senhor não deve impor sua vontade sobre a decisão de outrem, em particular uma decisão que foi tomada após muita ponderação. Ela deseja salvaguardá-lo da dor, e o senhor deve deixar que ela assim o faça. É possível que não ache a lógica da jovem Hazel persuasiva, mas tenho atravessado esse vale de lágrimas há mais tempo que o senhor e, do meu ponto de vista, não é ela a lunática.

Atenciosamente,
Peter Van Houten

 Tinha sido mesmo escrita por ele. Lambi o dedo, umedeci o papel e a tinta borrou um pouco, e foi assim que soube que era verdadeiramente verdadeira.
 — Mãe — disse.
 Não falei muito alto, mas não precisava mesmo. Ela estava sempre à espera. Sua cabeça apareceu por trás da porta.
 — Está tudo bem, querida?
 — Podemos ligar para a Dra. Maria e perguntar se uma viagem internacional me mataria?

CAPÍTULO OITO

Nós tivemos uma grande Reunião da Equipe do Câncer alguns dias depois. De vez em quando, médicos, assistentes sociais, fisioterapeutas e várias outras pessoas se reuniam em volta de uma mesa enorme numa sala de reunião e debatiam a minha situação. (Não a situação do Augustus Waters, nem a situação de Amsterdã. A situação do câncer.)

A Dra. Maria liderava a reunião. Ela me abraçou quando cheguei lá. Ela adorava abraçar.

Eu me sentia um pouco melhor, acho. Dormir com o BiPAP a noite toda fazia meus pulmões parecerem quase normais, embora, pensando bem, eu não me lembrasse direito de como era a normalidade pulmonar.

Todos chegaram lá e fizeram uma grande demonstração de como aquela reunião seria *totalmente focada em mim* ao desligarem seus *pagers* e tudo mais, e então a Dra. Maria disse:

— Bem, a boa notícia é que o Falanxifor continua a controlar a evolução do tumor, mas obviamente ainda estamos vendo sérios problemas com a acumulação de líquido. Então, a questão é: como devemos proceder?

E aí ela simplesmente olhou para mim, como se esperasse uma resposta.

— Humm — falei. — Acho que não sou a pessoa mais qualificada nesta sala para responder a essa pergunta.

Ela sorriu.

— Certo. Eu estava esperando a resposta do Dr. Simons.

Dr. Simons? Ele era outro médico de câncer de algum tipo.

— Bem, nós sabemos, pela experiência com outros pacientes, que a maioria dos tumores acaba achando um jeito de evoluir apesar do Falanxifor, mas se fosse esse o caso, veríamos o crescimento do tumor nos exames de imagem, e não foi o que vimos. Portanto, ainda não se trata disso.

Ainda, pensei.

O Dr. Simons batia na mesa com o indicador.

— O consenso aqui é que é possível que o Falanxifor esteja piorando o edema, mas nós depararíamos com problemas muito mais sérios se descontinuássemos seu uso.

A Dra. Maria acrescentou:

— Não conhecemos os efeitos reais do Falanxifor após muitos anos de uso. Pouquíssimas pessoas vêm se tratando com ele a mesma quantidade de tempo que você.

— Então não vamos fazer nada?

— Vamos continuar com esse procedimento — a Dra. Maria disse —, mas precisaremos nos esforçar mais para evitar a piora do edema.

Fiquei meio enjoada por algum motivo que não sei qual, como se fosse vomitar.

Eu odiava as Reuniões da Equipe do Câncer, em geral, mas odiei essa especialmente.

Seu câncer não vai sumir daí, Hazel. Mas já vimos pessoas viverem com o mesmo nível de penetração tumoral por muito tempo.

(Eu não perguntei o que constituía o "muito tempo". Já havia cometido este erro antes.)

— Sei que, por ter acabado de sair da UTI, a sensação é outra, mas esse líquido é, pelo menos por enquanto, administrável — ela concluiu.

— Não dá para simplesmente eu fazer tipo um transplante ou algo assim? — perguntei.

Os lábios da Dra. Maria sumiram para dentro da boca.

— Infelizmente, você não seria considerada uma forte candidata para um transplante — ela disse.

E eu entendi: não fazia sentido desperdiçar pulmões bons em um caso perdido. Assenti com a cabeça, tentando não deixar transparecer que aquele comentário havia me magoado. Meu pai começou a chorar baixinho. Não olhei para ele, mas ninguém disse nada por um bom tempo, e então o choro dele era o único ruído sendo emitido naquela sala.

Eu odiava fazê-lo sofrer. A maior parte do tempo, conseguia não me lembrar disso, mas a verdade inexorável era: eles podiam estar felizes por me ter por perto, mas eu era o alfa e o ômega no sofrimento dos meus pais.

Logo antes do Milagre, quando eu estava na UTI e parecia que ia morrer, e a mamãe ficava me dizendo que estava tudo bem, que eu poderia descansar em paz — e eu bem que tentava descansar em paz, mas meus pulmões continuavam procurando pelo ar —, a mamãe soluçou algo no peito do papai que eu preferiria não ter ouvido, e esperava que ela nunca descobrisse que eu ouvi. Ela falou: "Eu vou deixar de ser mãe." Isso arrasou comigo.

Não consegui parar de pensar nesse episódio durante toda a Reunião da Equipe do Câncer. Não conseguia tirá-lo da cabeça, o som da voz dela quando disse a frase, como se nunca mais fosse ficar bem de novo, o que provavelmente aconteceria.

Enfim, acabamos resolvendo manter as coisas do jeito que estavam, a única diferença sendo as drenagens mais frequentes do líquido. Ao término da reunião, perguntei se poderia viajar para Amsterdã, e o Dr. Simons riu, literalmente, mas a Dra. Maria perguntou:
— Por que não?
O Simons questionou, meio hesitante:
— Por que não?!
E a Dra. Maria completou:
— É. Eu não vejo por que não. Eles têm oxigênio nos aviões, no fim das contas.
O Dr. Simons disse:
— Quer dizer que eles vão despachar um BiPAP?
E a Maria respondeu:
— Sim. Ou vão ter um lá esperando por ela.
— Colocar uma paciente, nada menos que um dos sobreviventes mais promissores do Falanxifor, a oito horas de voo da única médica intimamente familiarizada com o caso dela? É a receita para um desastre.
A Dra. Maria deu de ombros:
— Aumentaria alguns riscos — ela reconheceu, e depois virou para mim e completou: Mas é a vida dela.

Só que, nem tanto. No carro, na volta para casa, meus pais decidiram: eu não iria a Amsterdã a menos, e até, que houvesse um consenso entre os médicos de que seria seguro para mim.

O Augustus me ligou naquela noite depois do jantar. Eu já estava na cama — meu toque de recolher havia mudado provisoriamente para logo depois do jantar —, apoiada num zilhão de travesseiros, o Azulzinho do lado, computador no colo.

Atendi falando logo:
— Má notícia.

E ele disse:

— Merda. O que aconteceu?

— Não posso ir a Amsterdã. Um dos meus médicos não acha que seja uma boa ideia.

Ele ficou calado por um instante.

— Cara — disse, por fim. — Eu deveria ter pago a viagem com o meu dinheiro. Deveria ter levado você direto dos *Ossos Maneiros* para Amsterdã.

— Mas aí eu provavelmente teria tido um episódio fatal de desoxigenação em Amsterdã, e meu corpo teria sido despachado de volta no compartimento de carga do avião — falei.

— É, pode ser — ele disse. — Mas, antes disso, meu gesto extremamente romântico com certeza teria levado você direto para a minha cama.

Eu ri muito, tanto que até senti dor no ponto em que o dreno torácico tinha estado.

— Você ri porque sabe que é verdade — ele disse e eu ri de novo. — É verdade, não é?!

— Provavelmente não — falei e, depois de alguns instantes, acrescentei: — Mas, nunca se sabe.

Ele gemeu, em ânsias:

— Eu vou morrer virgem — falou.

— Você é virgem? — perguntei, surpresa.

— Hazel Grace — ele disse —, você tem uma caneta e uma folha de papel? — Respondi que tinha. — Então tá. Desenhe um círculo, por favor. — Desenhei. — Agora faça um círculo menor dentro dele. — Obedeci. — O círculo maior representa os virgens. O círculo menor é composto por jovens de dezessete anos com uma perna só.

Ri mais uma vez e argumentei que o fato de a maior parte das atividades sociais dele ocorrerem num hospital pediátrico também não ajudava muito no quesito promiscuidade. Aí falamos sobre o comentário extremamente genial de Peter Van

Houten quanto à meretricidade do tempo e, mesmo eu estando na minha cama e o Augustus, no porão dele, realmente deu a impressão de que estávamos de volta àquela terceira dimensão invisível, lugar que gostei muito de visitar na companhia dele.

Depois que desliguei o telefone, minha mãe e meu pai entraram no meu quarto e, mesmo a minha cama não sendo grande o suficiente para nós três, eles se deitaram comigo, cada um de um lado, e todos assistimos ao *ANTM* na minha televisãozinha. A garota de quem eu não gostava, Selena, tinha sido eliminada do programa, o que por algum motivo me deixou bastante satisfeita. Então mamãe me conectou ao BiPAP e ajeitou as cobertas em cima de mim, papai beijou minha testa, um beijo arranhado, de barba malfeita, e, por fim, fechei os olhos.

Basicamente, o que o BiPAP fazia era assumir o controle da minha respiração, o que era muito incômodo, mas o grande barato era o barulho que fazia, ressoando a cada inspiração e chiando quando eu expirava. Eu ficava pensando que aquele som parecia o de um dragão respirando ao mesmo tempo que eu, como se eu tivesse um dragão como bicho de estimação, aninhado junto a mim, e que se importava tanto comigo que até sincronizava sua respiração com a minha. Estava pensando nisso quando mergulhei num sono profundo.

Acordei tarde na manhã seguinte. Vi televisão ainda na cama, li meus *e-mails* e, depois de um tempo, comecei a rascunhar uma mensagem para o Peter Van Houten contando por que não conseguiria ir a Amsterdã, mas dizendo que jurava pela vida da minha mãe que nunca compartilharia qualquer informação sobre os personagens com ninguém, que eu nem *queria* dividir isso com ninguém, porque eu era uma pessoa incrivelmente egoísta, e que, por favor, será que ele poderia me dizer se o Homem das Tulipas Holandês é ou não um vigarista e se a mãe da Anna se casa com ele e, também, o que aconteceu com Sísifo, o *hamster*?

Mas não enviei. Era patético demais, até para mim.

Lá pelas três da tarde, imaginando que o Augustus já teria chegado em casa da escola, fui até o quintal e liguei para ele. Enquanto o telefone tocava me sentei na grama, que já estava bem alta e apinhada de dentes-de-leão. O balanço ainda estava lá, ervas daninhas brotando da pequena vala que eu havia criado com os pés ao me impulsionar cada vez mais alto quando era bem novinha. Lembrei do dia em que papai trouxe para casa o *kit* de balanço da Toys "R" Us e montou aquele aparato no quintal com a ajuda de um vizinho. Ele insistiu em se balançar primeiro para testar a resistência do brinquedo, e o troço quase quebrou todo.

O céu estava cinzento e nublado, mas não chovia ainda. Desliguei quando ouvi a voz do Augustus na saudação da caixa postal e coloquei o telefone no chão ao meu lado. Continuei olhando para o balanço, pensando que eu abriria mão de todos os dias doentes que me restavam em troca de uns poucos saudáveis. Tentei me convencer de que poderia ser pior, que o mundo não era uma fábrica de realização de desejos, que eu estava vivendo com câncer e não morrendo por causa dele, que eu não deveria deixar que ele me matasse antes da hora, e aí comecei a murmurar *idiota idiota idiota idiota idiota* sem parar até que o som da palavra se desassociou do seu significado. Ainda estava repetindo quando ele retornou a minha ligação.

— Oi — falei.

— Hazel Grace — ele disse.

— Oi — falei de novo.

— Você está chorando, Hazel Grace?

— Mais ou menos.

— Por quê? — ele perguntou.

— Porque eu... eu quero ir a Amsterdã, quero que ele me diga o que acontece depois que o livro acaba, e simplesmente não quero mais essa vida, e, além disso, o céu está me deixando deprimida, e tem esse velho balanço aqui que meu pai montou para mim quando eu era criança.

— Preciso ver esse velho balanço de lágrimas imediatamente — ele disse. — Chego aí em vinte minutos.

Continuei no quintal porque minha mãe sempre ficava muito angustiada e preocupada quando eu chorava, já que eu não chorava com frequência, e sabia que ela ia querer *conversar* e debater se eu não deveria considerar fazer alterações nos meus remédios, e só de pensar na possibilidade dessa conversa toda fiquei com vontade de vomitar.

Não que eu tivesse uma lembrança clara e comovente de um pai saudável empurrando uma criança saudável no balanço e a criança dizendo *mais alto mais alto mais alto*, ou de algum outro momento metaforicamente ressonante. O balanço só estava lá, abandonado, as duas cadeirinhas, imóveis e tristes, penduradas de uma tábua acinzentada de madeira, o formato dos assentos parecendo o traço de um sorriso feito por uma criança.

Atrás de mim, ouvi o ruído da porta de correr de vidro se abrindo. Virei o corpo. Era o Augustus, com uma calça cáqui e uma camisa xadrez de manga curta. Enxuguei o rosto na manga da blusa e sorri.

— Oi — falei.

Ele demorou um pouquinho para se sentar no chão ao meu lado, e fez uma careta ao aterrissar um tanto desajeitadamente de bunda.

— Oi — falou, por fim. Olhei para ele e vi que observava o quintal atrás de mim. — Entendo o que você quer dizer — ele disse e passou o braço por cima dos meus ombros. — Aquele é um pedaço de balanço triste e maldito.

Aninhei a cabeça no ombro dele.

— Obrigada por se oferecer para vir aqui.
— Você sabe que tentar me manter a distância não vai diminuir o que eu sinto por você — ele disse.
— Talvez? — falei.
— Todos os esforços para me proteger de você serão inúteis — ele disse.
— Por quê? Por que é que você deveria sequer gostar de mim? Já não se colocou em situações difíceis assim o suficiente? — perguntei, pensando em Caroline Mathers.

O Gus não respondeu. Ele só ficou ali, me abraçando, os dedos firmes no meu braço esquerdo.

— Precisamos fazer algo a respeito desse raio de balanço — ele falou.
— Vou dizer uma coisa para você: ele é o responsável por noventa por cento do problema.

Assim que me refiz, entramos e sentamos no sofá, lado a lado, o *laptop* metade apoiado no joelho (de mentira) dele e a outra metade, no meu.

— Quente — comentei sobre o fundo do *laptop*.
— Está mesmo? — Ele sorriu.

Gus acessou um *site* de doações chamado Grátis Sem Pegadinha e juntos redigimos um anúncio.

— Título? — ele perguntou.
— Balanço Precisa de um Lar — falei.
— Balanço Extremamente Solitário Necessita de um Lar Amoroso — ele disse.
— Balanço Solitário e Ligeiramente Pedofílico Procura Bumbuns de Crianças — falei.

Ele riu.
— É por isso.
— O quê?
— É por isso que gosto de você. Você tem ideia de como é raro encontrar uma gata que use essa versão adjetivada do

substantivo *pedófilo*? Você está tão ocupada sendo você mesma que não faz ideia de quão absolutamente sem igual você é. Respirei fundo pelo nariz. Nunca havia ar suficiente no mundo, mas a carência dele naquele momento estava particularmente crítica. Escrevemos juntos o anúncio, fazendo as devidas edições às nossas ideias conforme íamos digitando. Por fim, acabamos com o seguinte texto:

Balanço Extremamente Solitário Necessita de Um Lar Amoroso

Um balanço bastante usado, mas em condições estruturalmente boas, procura um novo lar. Crie lembranças com seu filho, ou filhos, para que um dia ele, ou ela, ou eles olhem para o quintal e sintam o mesmo tipo de sentimentalismo que experimentei esta tarde. Tudo é frágil e efêmero, caro leitor, mas com este balanço seu filho conhecerá os altos e baixos da vida devagar e com segurança, e também poderá aprender a lição mais crucial de todas: não importa quão forte seja o impulso, não importa o quão alto se chegue, não será possível dar uma volta completa.

O balanço reside atualmente na Rua 83, quase esquina com a Spring Mill.

Depois disso ligamos a televisão por um tempo, mas não conseguimos achar nada que nos interessasse, então peguei o exemplar de *Uma aflição imperial* da mesa de cabeceira, levei o volume para a sala de estar e o Augustus Waters leu algumas páginas para mim, enquanto mamãe, que preparava o almoço, escutava.

— "*O olho de vidro da mãe da Anna virou ao contrário*" — o Augustus começou.

Enquanto ele lia, me apaixonei do mesmo jeito que alguém cai no sono: gradativamente e de repente, de uma hora para outra.

Quando verifiquei meus *e-mails* uma hora depois, descobri que havia vários candidatos para o balanço dentre os quais poderíamos escolher. No fim, selecionamos um cara chamado Daniel Alvarez, que anexou uma foto de seus três filhos jogando *videogame* e, no assunto do *e-mail*, escreveu: *Só quero que eles brinquem ao ar livre*. Respondi à mensagem dizendo que poderia buscar o balanço quando bem entendesse.

O Augustus me perguntou se eu queria ir com ele à reunião do Grupo de Apoio, mas eu estava muito cansada, depois de passar um dia inteiro ocupada Tendo Câncer, por isso declinei do convite. Estávamos no sofá quando ele empurrou o corpo para cima, para se levantar, mas acabou caindo sentado de novo e me tacou um beijo na bochecha.

— Augustus! — exclamei.

— Beijo de amigo — ele disse. Empurrou o corpo para cima novamente, dessa vez permanecendo de pé, e então deu dois passos na direção da minha mãe. — É sempre um prazer vê-la — ele disse, e minha mãe abriu os braços para lhe dar um abraço, no que o Augustus se inclinou e deu um beijo na bochecha dela. E se virou para mim: — Viu? — perguntou.

Fui para a cama logo após o jantar, o BiPAP suprimindo o mundo que ficava do lado de fora do meu quarto.

E nunca mais vi o balanço.

Dormi bastante tempo, dez horas, provavelmente por causa do processo lento de recuperação, provavelmente porque o sono combate o câncer e provavelmente porque eu era uma adolescente sem hora certa para acordar. Ainda não me sentia forte o suficiente para voltar a frequentar as aulas no MCC. Quando, enfim, tive vontade de levantar, tirei a máscara do BiPAP do nariz, coloquei o

cateter do oxigênio nas narinas, liguei o aparelho e tirei o *laptop* de debaixo da cama, onde o tinha guardado na noite anterior.
Lá havia um *e-mail* da Lidewij Vliegenthart.

Cara Hazel,

> Recebi uma mensagem dos Gênios dizendo que você virá nos visitar com Augustus Waters e sua mãe, chegando aqui no dia 4 de maio. Em apenas uma semana! Peter e eu estamos encantados e não vemos a hora de conhecê-los pessoalmente. Seu hotel, o Filosoof, fica a apenas uma rua da casa do Peter. Talvez devêssemos dar um dia para que vocês se recuperem dos efeitos do *jet lag*? Sendo assim, se for conveniente, nós os encontraremos na casa do Peter na manhã do dia 5 de maio, talvez às dez horas, para uma xícara de café e para que ele responda às perguntas que você quer fazer sobre o livro dele. E, depois disso, nós poderíamos talvez fazer uma visita a um museu ou à Casa de Anne Frank.

Cordialmente,
Lidewij Vliegenthart
Assistente-executiva do Sr. Peter Van Houten,
autor de *Uma aflição imperial*

— Mãe — falei. Ela não respondeu. — MÃE! — gritei. Nada. De novo, mais alto: — MÃE!
Ela veio correndo enrolada numa toalha cor-de-rosa velhinha, toda pingando, ligeiramente em pânico.
O que aconteceu?
— Nada. Foi mal. Eu não sabia que você estava tomando uma chuveirada.

— Eu estava na banheira — ela disse. — Só estava... — Fechou os olhos. — Só estava tentando tomar um banho de banheira de cinco segundos. Perdão. O que está havendo?

— Você poderia ligar para os Gênios e dizer a eles que a viagem foi cancelada? Acabei de receber um *e-mail* da assistente do Peter Van Houten. Ela acha que vamos até lá.

Mamãe franziu os lábios e passou por mim com os olhos semicerrados.

— O quê? — perguntei.

— Não era para eu dizer nada até seu pai chegar.

— *O quê?* — perguntei de novo.

— A viagem está de pé — ela disse, por fim. — A Dra. Maria nos ligou ontem à noite e nos convenceu de que você precisa viver a sua...

— MÃE, EU TE AMO TANTO! — gritei.

Ela foi até a minha cama e deixou que eu a abraçasse.

Mandei um torpedo para o Augustus porque sabia que ele estava na escola:

Ainda disponível dia três de maio? :-)

Ele respondeu na mesma hora.

Está tudo indo às mil maravilhas para o meu lado.

Se ao menos eu conseguisse ficar viva por uma semana, conheceria os segredos não publicados da mãe de Anna e do Homem das Tulipas Holandês. Dei uma espiada na minha blusa, na altura do peito.

— Vocês têm de se comportar — sussurrei para meus pulmões.

CAPÍTULO NOVE

Um dia antes da viagem para Amsterdã voltei à reunião do Grupo de Apoio pela primeira vez desde que conheci o Augustus. O elenco havia sido ligeiramente alterado ali no Coração Literal de Jesus. Cheguei cedo, o suficiente para que Lida — a sempre forte sobrevivente do câncer de apêndice — me atualizasse a respeito de todo mundo enquanto eu comia um *cookie* industrializado de chocolate encostada na mesa de biscoitos.

Michael, o leucêmico de doze anos de idade, tinha partido desta para melhor. Ele lutara bravamente, me contou a Lida, como se houvesse qualquer outra forma de lutar. O resto do pessoal ainda continuava por lá. Ken estava SEC desde que terminara a radioterapia. Lucas teve uma recaída, e a Lida disse aquilo com um sorriso amarelado e um leve "dar de ombros", da mesma forma que contaria que um alcoólatra teve uma recaída.

Uma menina gordinha e bonitinha se aproximou da mesa, disse "oi" para a Lida e depois se apresentou para mim como Susan. Eu não sabia ao certo qual era o problema dela, mas havia em seu rosto uma cicatriz que ia da lateral do nariz até o lábio e atravessava a bochecha. A Susan tinha passado maquiagem na cicatriz, o que só serviu para chamar mais atenção. Eu estava com um pouco de falta de ar por causa daquele tempo todo em pé, então falei:

— Vou me sentar ali.

Foi quando o elevador se abriu, revelando o Isaac e a mãe. Ele estava de óculos escuros e se apoiava no braço da mãe com uma das mãos, a bengala na outra.

— A Hazel do Grupo de Apoio e não a Monica — falei, quando ele chegou perto o suficiente.

O Isaac sorriu e disse:

— E aí, Hazel. Como vão as coisas?

— Tudo bem. Fiquei *totalmente gata* depois que você perdeu a visão.

— Aposto que sim — Ele comentou.

A mãe o guiou até uma cadeira, beijou a cabeça dele e se deslocou de volta até o elevador. O Isaac tateou o espaço abaixo do corpo e se sentou. Eu me acomodei numa cadeira ao seu lado.

— E então, como está tudo?

— Bem. Feliz por ter voltado para casa, acho. O Gus me disse que você passou pela UTI.

— É — respondi.

— Que droga! — ele disse.

— Estou bem melhor agora — falei. — Vou para Amsterdã com o Gus amanhã.

— Sei disso. Estou bastante atualizado a respeito da sua vida, porque o Gus nunca. Fala. De. Outra. Coisa.

Sorri. O Patrick pigarreou e disse:

— Se todos pudermos ocupar nossos assentos... — O olhar dele cruzou com o meu. — Hazel! — falou. — Estou tão feliz em vê-la!

Todos se sentaram e o Patrick começou a recontar a história da sua ausência de bolas, o que me levou a retomar a rotina do Grupo de Apoio: me comunicando com o Isaac por meio de suspiros, me sentindo mal por todas as pessoas naquele cômodo e também por todas as pessoas fora dele, me distraindo da conversa para me concentrar na minha falta de ar e na dor. O mundo continuou girando, como sempre, sem a minha participação integral, e eu só despertei do meu devaneio quando alguém disse meu nome.

Foi Lida, a Forte. A Lida em remissão. A loira, saudável, robusta Lida, que fazia parte do time de natação da escola. A Lida, que só não tinha o apêndice, falou meu nome, dizendo:

— A Hazel é uma baita fonte de inspiração para mim; de verdade. Ela continua lutando, acordando todos os dias e indo para a guerra sem reclamar. Ela é tão forte... Tão mais forte que eu. Queria ter sua força.

— Hazel? — indagou o Patrick. — Como você se sente ao ouvir isso?

Encolhi os ombros e olhei para a Lida.

— Dou minha força para você se puder ter sua remissão em troca. — O sentimento de culpa me invadiu assim que completei a frase.

— Não acho que tenha sido isso o que a Lida quis dizer — o Patrick falou. — Acho que ela...

Mas eu já havia parado de prestar atenção.

Depois das preces para os vivos e da ladainha interminável dos mortos (com o Michael adicionado no fim), demos as mãos e dissemos:

— Vivendo o melhor da nossa vida hoje!

A Lida foi correndo me pedir desculpas e se justificar, e eu disse:

— Não, não, está tudo bem — fazendo um gesto de "deixe pra lá" com a mão, e falei para o Isaac: — Você se incomoda de me acompanhar até lá em cima?

Ele pegou meu braço e eu o guiei até o elevador, grata por ter uma desculpa para evitar a escada. Já tinha quase percorrido o caminho todo quando vi a mãe dele parada num canto do Coração Literal.

— Estou aqui — ela disse para o Isaac, e ele trocou o meu braço pelo dela.

Então me perguntou:

— Você quer ir lá em casa?

— Claro — respondi.

Eu me sentia mal por ele. E mesmo odiando a pena que as pessoas tinham de mim, não consegui evitar ter pena dele.

O Isaac morava numa pequena casa estilo rancho em Meridian Hills, ao lado de uma escola particular para crianças ricas. Nós nos sentamos na sala de estar enquanto a mãe dele foi até a cozinha preparar o jantar, e aí ele me perguntou se eu queria jogar.

— Claro — respondi.

Isaac me pediu que lhe passasse o controle. Fiz isso e ele ligou a televisão e um computador que estava conectado a ela. A tela da TV continuou preta, mas, após alguns segundos, uma voz grave começou a falar de dentro do aparelho.

Deception, disse a voz. *Um ou dois jogadores?*

— Dois — respondeu o Isaac. — Pausar. — E virou-se para mim. — Eu jogo isso direto com o Gus, mas é muito irritante porque ele é um jogador de *videogame* totalmente suicida. Ele é, tipo, muito radical quando se trata de salvar civis e coisa e tal.

— É — falei, lembrando da noite dos troféus destroçados.

— Recomeçar — o Isaac falou.

Jogador um, identifique-se.

— Essa é a voz ultrassensual do jogador um — o Isaac disse.

Jogador dois, identifique-se.

— O jogador dois sou eu, acho — falei.

O Sargento Max Mayhem e o soldado Jasper Jacks acordam em um lugar escuro e vazio, de aproximadamente um metro quadrado.

O Isaac apontou para a TV, como se eu devesse me dirigir a ela ou coisa assim.

— Humm — falei. — Tem algum interruptor para acender a luz?

Não.

— Tem alguma porta?

O soldado Jacks localiza a porta. Está trancada.

O Isaac se juntou a mim.

— Tem uma chave em cima do batente da porta.

Sim.

— Mayhem abre a porta.

A escuridão continua total.

— Empunhar faca — o Isaac disse.

— Empunhar faca — repeti.

Uma criança, que deduzi ser o irmão do Isaac, saiu correndo da cozinha. Devia ter uns dez anos, toda agitada e elétrica, e meio que cruzou a sala de estar pulando e gritando, numa imitação perfeita da voz do Isaac:

— ME MATE.

O Sargento Mayhem coloca a faca no pescoço. Tem certeza de que você...

— Não — disse o Isaac. — Pausar. Graham, não me faça sair daqui e te dar um chute no traseiro.

O Graham deu uma risadinha e saiu furtivamente por um corredor.

Na pele do Mayhem e do Jacks, o Isaac e eu avançamos tateando pela caverna até que esbarramos num cara que acabamos esfaqueando, depois de forçá-lo a nos confessar que estávamos numa prisão subterrânea na Ucrânia, mais de um quilômetro abaixo da superfície. Conforme continuávamos, efeitos sonoros — um rio subterrâneo ruidoso, vozes falando ucraniano e inglês com sotaque — nos guiavam pela caverna, mas não havia nada para ver naquele jogo. Depois de uma hora inteira, começamos a ouvir os gritos de um prisioneiro desesperado, implorando: "Deus, me ajude. Deus, me ajude."

— Pausar — o Isaac falou. — É sempre nessa hora que o Gus insiste em encontrar o prisioneiro, mesmo que isso nos impeça de vencer o jogo, e a única maneira de conseguir *libertar* o prisioneiro *de verdade* é vencendo o jogo.

— É. Ele leva muito a sério os jogos de *videogame* — falei. — Ele é apaixonado por metáforas.

— Você gosta dele? — o Isaac perguntou.

— Claro que gosto. Ele é legal.

— Mas você não quer namorar o cara?

Dei de ombros.

— É complicado.

— Sei o que está tentando fazer. Você não quer dar para ele algo com que ele não vai conseguir lidar. Você não quer que ele Monifique você — o Isaac disse.

— Mais ou menos isso — falei. Mas não era nada disso. A verdade é que eu não queria Isaaquificar o Gus. — Para não ser injusta com a Monica — falei —, o que você fez com ela também não foi muito legal.

— O que foi que *eu* fiz com ela? — ele perguntou, na defensiva.

— Você sabe, ter ficado cego e tudo mais.

— Mas isso não foi culpa minha — ele disse.

— Não estou dizendo que foi *culpa* sua. Estou dizendo que não foi legal.

CAPÍTULO DEZ

Só levamos uma mala. Eu não tinha como carregar minha bagagem e mamãe bateu pé dizendo que não seria capaz de carregar duas, então tivemos de lutar pelo espaço na mala preta que meus pais ganharam de presente de casamento um milhão de anos atrás — mala esta que deveria ter passado sua vida útil em lugares exóticos, mas que acabou praticamente só indo e voltando de Dayton, onde a Morris Property, Inc., tinha uma filial que o papai visitava com frequência.

Argumentei com a mamãe que eu deveria ter direito a um pouco mais do que só a metade da mala, porque, para início de conversa, sem mim e meu câncer nós nem iríamos a Amsterdã. Mamãe contra-argumentou que, por ser duas vezes maior que eu e, portanto, precisar de mais metros de tecido para proteger seu pudor, deveria ter direito a pelo menos dois terços da mala.

No fim, ambas perdemos. É a vida.

Nosso voo só sairia ao meio-dia, mas a mamãe me acordou às cinco e meia, acendendo a luz e gritando:

— AMSTERDÃ!

Ela ficou andando de um lado para outro a manhã inteira se certificando de que tínhamos adaptadores de tomada e verificando pelo menos umas quatro vezes se tínhamos a quantidade certa de cilindros de oxigênio que durassem até lá, e se estavam todo cheios etc., enquanto eu simplesmente rolei da cama, vesti minha Roupa de Viagem para Amsterdã (calça *jeans*, camiseta cor-de-rosa e um cardigã preto, para o caso de o avião estar frio).

Às seis e quinze a bagagem já estava na mala do carro, e então mamãe insistiu que tomássemos café da manhã com o papai, embora fosse uma questão de princípio, para mim, não comer antes de o sol nascer, simplesmente porque eu não era um camponês russo do século dezenove me alimentando para me fortalecer antes de um dia inteiro de trabalho braçal. Mas mesmo assim tentei botar para dentro um pouco de ovo mexido enquanto mamãe e papai se deliciavam com a versão doméstica do Egg McMuffin que tanto amavam.

— Por que comidas de café da manhã são comidas de café da manhã? — perguntei a eles. — Tipo, por que não comemos *curry* no café da manhã?

— Hazel, coma.

— Mas *por quê?* — perguntei. — Na boa, falando totalmente sério: por que é que os ovos mexidos passaram a ser exclusividade do café da manhã? Você pode colocar *bacon* num sanduíche sem que ninguém dê nenhum chilique. Mas no instante em que seu sanduíche ganha um ovo, vira um sanduíche *de café da manhã*.

Papai respondeu de boca cheia.

— Quando vocês voltarem, tomaremos café da manhã no jantar. Combinado?

— Eu não quero tomar "café da manhã" no jantar — respondi, cruzando os talheres no prato praticamente cheio. — Quero comer ovos mexidos no jantar sem essa concepção ridícula de que uma refeição que inclua ovos mexidos tem de ser *café da manhã* mesmo que seja hora do jantar.

— Você precisa escolher as causas pelas quais vai lutar nesse mundo, Hazel — minha mãe disse. — Mas se esta é a que você quer defender, ficaremos do seu lado.

— Do lado de trás — o papai acrescentou, e mamãe riu. Eu sabia que era tolice, mas ainda assim me senti meio *mal* pelos ovos mexidos.

Logo que eles acabaram de comer, papai lavou os pratos e nos acompanhou até o carro. Logicamente, começou a chorar, e beijou minha bochecha encostando nela a cara molhada e áspera. Ele apertou o nariz contra a maçã do meu rosto e sussurrou:

— Te amo. Estou tão orgulhoso de você...

(*Pelo quê, exatamente*, me perguntei.)

— Obrigada, pai.

— Vejo você em alguns dias, querida. Te amo tanto!

— Eu também, pai. — Sorri. — Serão só três dias.

Ao percorrermos a entrada de carros de ré, fiquei acenando para ele. Ele acenava também, e chorava. Passou pela minha cabeça o fato de que ele talvez estivesse pensando que era possível que não fosse me ver nunca mais, o que talvez fosse o que ele pensava todo dia de semana de manhã antes de ir para o trabalho, e isso devia ser uma droga.

Mamãe e eu fomos de carro até a casa do Augustus e, assim que chegamos lá, ela quis que eu ficasse no carro para descansar, mas fui até a porta mesmo assim. Quando nos aproximamos, pude ouvir alguém chorando lá dentro. Num primeiro momento, não achei que fosse o Gus, porque o choro não soava nada parecido com o tom suave do jeito de falar dele, mas aí escutei uma voz que com certeza era uma versão alterada da dele dizendo: "PORQUE A VIDA É MINHA, MÃE. ELA PERTENCE A MIM." Mais que depressa, mamãe colocou o braço nos meus ombros, me virou e me levou de volta para o carro, andando rápido.

— Mãe! O que aconteceu? — perguntei.

E ela respondeu:

— Não podemos ficar ouvindo a conversa dos outros, Hazel.

Entramos no carro e mandei uma mensagem de texto para o Augustus dizendo que estávamos lá fora esperando por ele. Ficamos olhando para a casa por um tempo. O mais estranho nas casas é que quase sempre elas dão a impressão de que não tem nada acontecendo do lado de dentro, embora a maior parte das nossas vidas seja passada lá. Fiquei me perguntando se esse seria mais ou menos o objetivo da arquitetura.

— Bem — mamãe disse após alguns instantes —, acho que chegamos muito cedo.

— É quase como se eu não precisasse ter acordado às cinco e meia — falei.

Mamãe pegou a caneca de café no console do carro e tomou um gole. Meu celular vibrou. Uma mensagem de texto do Augustus.

NÃO CONSIGO decidir o que usar. Você prefere me ver de camisa polo ou de camisa de botão?

Respondi:

De botão.

Trinta segundos depois a porta se abriu e um Augustus sorridente apareceu, carregando uma mala de rodinha. Ele estava com uma camisa azul-celeste de botão bem passada, por dentro da calça *jeans*. Um cigarro Camel Light pendia dos lábios. Minha mãe saiu do carro para cumprimentá-lo. Ele tirou o cigarro da boca por um instante e falou com o tom de voz confiante que eu estava acostumada a ouvir.

— É sempre um prazer vê-la, madame.

Fiquei olhando para eles pelo retrovisor até a mamãe abrir a mala. Um tempo depois o Augustus abriu a porta atrás da minha e se lançou na tarefa complicada de entrar, com apenas uma perna, no assento traseiro de um carro.

— Você quer ir no banco do carona? — perguntei.
— De jeito nenhum — ele respondeu. — E oi, Hazel Grace.
— Oi — falei. — Tudo o.k.? — perguntei.
— Tudo o.k. — ele disse.
— O.k. — falei.

Mamãe entrou no carro e fechou a porta.

— Próxima parada, Amsterdã — ela anunciou.

O que não era exatamente verdade. A próxima parada foi o estacionamento do aeroporto, e aí um ônibus nos levou para o terminal, e depois um carrinho elétrico aberto nos transportou até o local da inspeção de segurança. O cara da TSA estava lá no começo da fila, aos berros, dizendo que era melhor que nossa bagagem de mão não contivesse bombas nem armas de fogo nem qualquer recipiente com mais de 100 ml de líquido, e aí eu virei para o Augustus e disse:

— Observação: ficar de pé em fila é uma forma de opressão.

Ao que ele falou:

— Na moral.

Em vez de passar pela revista manual, escolhi atravessar o detector de metais sem o carrinho nem o cilindro, e nem mesmo o cateter de plástico no nariz. Cruzar o aparelho de raios X marcou a primeira vez, em alguns meses, que dei um passo sem o oxigênio, e foi ótima a sensação de andar livremente daquele jeito, transpondo o Rubicão, o silêncio da máquina reconhecendo que eu era, ainda que só por alguns instantes, uma criatura não metalizada.

Senti uma soberania corporal que não dá para descrever direito. O que posso dizer é que foi mais ou menos como quando eu era pequena e tinha uma mochila pesadíssima, cheia de livros, que eu levava para todo lado. Depois de andar muito tempo com ela, sentia como se estivesse flutuando assim que a tirava das costas.

Após uns dez segundos, meus pulmões pareciam que estavam se dobrando sobre si mesmos como flores que se fecham ao anoitecer. Caí sentada num banco cinza localizado logo após a máquina e tentei recobrar o fôlego, minha tosse um ruído rouco, e me senti bastante mal até recolocar a cânula.

E mesmo assim doía. A dor estava sempre presente, me puxando para dentro, exigindo ser sentida. Cada vez que alguma coisa no mundo exterior demandava um comentário meu ou a minha atenção, parecia que eu acordava da dor. Mamãe me olhava, preocupada. Ela acabara de falar alguma coisa. O que foi que ela disse? Então me lembrei. Ela havia perguntado qual era o problema.

— Nada — respondi.
— Amsterdã! — ela exclamou.
Sorri.
— Amsterdã — repeti.

Ela estendeu o braço para mim, me deu a mão e me puxou para que eu me levantasse.

Chegamos ao portão uma hora antes do horário marcado para o embarque.

— Sra. Lancaster, a senhora é uma pessoa impressionantemente pontual — o Augustus disse ao se sentar ao meu lado na sala de espera praticamente vazia em frente ao portão de embarque.

— Bem, ajuda o fato de eu não ser muito ocupada, tecnicamente falando — ela disse.

— Você é ocupada o suficiente — falei, embora me ocorresse que a ocupação da mamãe era basicamente eu.

Também tinha a função de esposa do meu pai. Ele não tinha a menor noção de coisas, tipo, tarefas bancárias, contratar bombeiros hidráulicos, cozinhar e qualquer outra atividade que não fosse trabalhar para a Morris Property, Inc. Mas a maior parte do tempo o negócio dela era comigo. A principal razão de viver dela e a minha principal razão de viver estavam terrivelmente enredadas.

Conforme os assentos da sala de espera foram sendo ocupados, o Augustus disse:

— Vou comprar um hambúrguer. Quer alguma coisa?

— Não — respondi —, mas admiro sua recusa em se submeter às convenções sociais do café da manhã.

Ele inclinou a cabeça para o lado e olhou para mim parecendo meio confuso.

— A Hazel está revoltada por causa da guetização dos ovos mexidos — mamãe explicou.

— É vergonhoso o fato de nós simplesmente passarmos a vida inteira aceitando cegamente a associação dos ovos mexidos com o período da manhã.

— Quero conversar mais sobre isso — o Augustus disse. — Mas estou morrendo de fome. Volto já.

Quando já se haviam passado mais de vinte minutos e o Augustus ainda não tinha voltado, perguntei para a mamãe se ela achava que havia algo de errado, e ela só levantou os olhos da revista detestável que lia pelo tempo suficiente para dizer:

— Ele deve ter ido ao banheiro ou coisa assim, só isso.

Uma funcionária da companhia aérea andou até nós e trocou meu cilindro de oxigênio por outro, fornecido pela empresa. Fiquei sem graça de ter uma pessoa ajoelhada na minha frente, com todo mundo olhando, então enviei uma mensagem de texto para o Augustus enquanto durava aquele procedimento.

Ele não respondeu. Mamãe parecia despreocupada, mas eu já imaginava todos os tipos de contratempos que poriam fim à viagem para Amsterdã (prisão, acidente, colapso mental) e senti como se houvesse algo não necessariamente cancerígeno de errado com meu peito conforme os minutos foram se passando.

E, bem na hora que a moça que estava atrás do balcão anunciou que daria início ao embarque antecipado de quem pudesse precisar de um pouco mais de tempo para entrar, e todas as pessoas que aguardavam o voo se viraram diretamente para mim, vi o Augustus mancando apressado na nossa direção com um saco do McDonald's na mão, a mochila jogada nas costas.

— Por onde você andou? — perguntei.

— A fila estava enorme, foi mal — ele disse, estendendo a mão para me ajudar a levantar.

Aceitei a ajuda, e seguimos lado a lado até o portão, para o embarque preferencial.

Senti que todos observavam nossos movimentos, imaginando o que haveria de errado conosco, e se aquilo nos mataria, e como minha mãe devia ser uma heroína e tudo mais. Essa, às vezes, era a pior parte do câncer: a evidência física da doença separa você das outras pessoas. Éramos irreconciliavelmente diferentes, e isso nunca ficou tão óbvio como quando nós três andamos no avião vazio, a comissária de bordo nos recebendo com uma expressão compadecida e fazendo um gesto na direção da nossa fileira, que ficava bem mais no fundo. Sentei no meio da fila de três cadeiras com o Augustus no assento da janela e a mamãe no do corredor. Fiquei me sentindo meio sufocada pela presença da minha mãe, então obviamente me bandeei para o lado do Augustus. Estávamos logo atrás da asa do avião. Ele abriu o saco e desembrulhou o hambúrguer.

— Na verdade, a questão dos ovos — ele disse — é que a cafedamanhazação dá ao ovo mexido uma certa *sacralidade*. Você pode arranjar *bacon* ou *cheddar* em qualquer lugar e a qualquer

momento, em *tacos*, sanduíches de café da manhã ou num queijo quente, mas ovos mexidos... eles são *importantes*.
— Ridículo — eu disse.
As pessoas começavam a se acomodar no avião. Não queria olhar para elas, então virei o rosto, e isso significou encarar o Augustus.
— Só estou dizendo que talvez os ovos mexidos sejam guetizados, sim, mas também são especiais. Há um lugar certo e uma hora certa para eles, como para rezar.
— Você não poderia estar mais equivocado — falei. — Está se deixando influenciar pelos pensamentos bordados nas almofadas dos seus pais. Você está argumentando que uma coisa frágil e rara é bela só porque é frágil e rara. Mas isso é uma grande mentira, e você sabe disso.
— Você é uma pessoa difícil de se consolar — o Augustus disse.
— O consolo superficial não é um consolo verdadeiro — falei. — Você já foi uma flor rara e frágil. Você se lembra disso.
Ele ficou em silêncio por um instante.
— Você sabe como calar a minha boca, Hazel Grace.
— É meu privilégio e minha responsabilidade — retruquei.
Antes que o contato visual entre nós fosse interrompido, ele falou:
— Por falar nisso, foi mal eu ter evitado a sala de espera para o embarque. A fila no McDonald's não estava tão grande assim, na verdade; eu só... só não quis ficar sentado lá com todas aquelas pessoas olhando para nós, e tal.
— Para mim, principalmente — falei. Era provável que ninguém desconfiasse de que o Gus já esteve doente algum dia, mas eu carregava a minha doença do lado de fora, o que foi, em parte, o motivo pelo qual me tornei uma pessoa caseira. — Augustus Waters, criatura famosa por seu carisma, fica constrangido ao se sentar ao lado de uma garota com um cilindro de oxigênio.

— Não é constrangimento — ele disse. — É que às vezes essas pessoas me irritam. E não quero ficar irritado hoje.

Um minuto depois, ele enfiou a mão no bolso e abriu a tampa do maço de cigarros.

Passados uns nove segundos, uma comissária de bordo loira correu até a nossa fila e disse:

— Senhor, não é permitido fumar neste avião. Nem em qualquer avião.

— Eu não fumo — ele explicou, o cigarro dançando na boca enquanto falava.

— Mas...

— É uma metáfora — expliquei. — Ele coloca a coisa que mata entre os dentes, mas não dá a ela o poder de completar o serviço.

A comissária ficou desconcertada só por um segundo.

— Bem, essa metáfora não será permitida no voo de hoje — ela disse.

O Gus assentiu com a cabeça e devolveu o cigarro ao maço.

Enfim taxiamos na pista e o piloto disse: *Comissários, preparar para a decolagem*, e foi então que duas enormes turbinas a jato deram sinal de vida e começamos a acelerar.

— Essa é a sensação de estar num carro com você — falei, e ele sorriu, mas continuou com o maxilar tensionado. Então perguntei: — Você está bem? — Nós estávamos ganhando velocidade quando, de repente, a mão do Gus apertou o braço da cadeira. Ele arregalou os olhos, eu coloquei a minha mão em cima da dele e repeti: — Você está bem? — Ele não disse nada, só olhou para mim com olhos esbugalhados. Por fim, perguntei: — Você tem medo de avião?

— Daqui a pouco eu respondo.

O nariz da aeronave embicou para o alto e decolamos. O Gus olhou pela janela, vendo o planeta encolher abaixo de nós, e foi então que senti a mão dele relaxar sob a minha. Ele olhou para mim, depois para a janela, e anunciou:

— Estamos *voando*.

— Você nunca viajou de avião antes?

Ele balançou a cabeça negativamente.

— OLHE! — exclamou, apontando para a janela.

— É — falei. — É, dá para ver. Parece que estamos num avião.

— NUNCA NA HISTÓRIA DA HUMANIDADE SE VIU ALGO ASSIM — ele disse.

O entusiasmo do Gus era fofo. Não pude resistir e me inclinei para dar um beijo na bochecha dele.

— Só para você saber, eu estou bem aqui — mamãe disse. — Sentada do seu lado. Sua mãe. Que segurou sua mão quando você deu seus primeiros passos.

— É coisa de amigo — lembrei a ela, virando para beijá-la no rosto.

— Não pareceu tão de amigo assim — o Gus murmurou alto o suficiente para que eu pudesse ouvir.

Quando um Gus surpreso, empolgado e inocente emergiu do Augustus Maravilhoso e Adepto de Metáforas, não consegui resistir, literalmente.

Aquele foi um voo curto para Detroit, onde o carrinho elétrico foi ao nosso encontro quando desembarcamos e nos levou até o portão para Amsterdã. O segundo avião tinha telas de TV na parte de trás de cada encosto, e logo que ultrapassamos o topo das nuvens, o Augustus e eu sincronizamos o momento de começar a ver TV para assistirmos à mesma comédia romântica, ao mesmo tempo, em nossas respectivas telas. Mas, mesmo tendo sincronizado perfeitamente a hora de apertar o *play*, o filme dele começou alguns segundos antes do meu. Assim, a cada cena engraçada, ele ria quando eu ainda estava ouvindo o início de qualquer que fosse a piada.

. . .

Mamãe tinha planejado dormirmos as várias horas que o voo ainda ia durar, para que, quando aterrissássemos às oito da manhã, já chegássemos na cidade prontos para aproveitá-la ao máximo, e tal. Então, quando o filme acabou, nós três tomamos comprimidos para dormir. Mamãe capotou depois de alguns segundos, mas o Augustus e eu ficamos acordados olhando pela janela por algum tempo. O dia estava claro, e mesmo que não desse para ver o sol se pondo, dava para perceber a reação do céu a esse movimento.

— Cara, isso é lindo — falei, mais para mim mesma.

— A luz do sol nascente forte demais em seus olhos que perecem — ele disse, citando o *Uma aflição imperial*.

— Mas ele não está nascendo — falei.

— Em algum lugar está — ele retrucou, e logo depois disse: — Observação: seria fantástico voar num avião ultrarrápido que conseguisse perseguir o nascer do sol em torno do planeta por um tempo.

— Além disso, eu viveria mais — falei, e ele me olhou de esguelha. — Você sabe, por causa da relatividade, e tal. — Ele ainda parecia confuso. — Nós envelhecemos mais devagar quando nos movemos mais depressa em comparação a quando estamos parados. Assim, neste exato momento, o tempo está passando mais devagar para nós do que para as pessoas no solo.

— Gatas de faculdade — ele falou. — Elas são inteligentes demais.

Revirei os olhos. Ele bateu o joelho (de verdade) no meu e eu reagi fazendo a mesma coisa.

— Está com sono? — perguntei.

— Nem um pouco.

— É — falei. — Eu também não.

Remédios para dormir e analgésicos não tinham em mim o mesmo efeito que em pessoas normais.

— Quer ver outro filme? — ele perguntou. — Eles têm um da Natalie Portman da fase Hazel dela.

— Quero ver alguma coisa que você não tenha visto ainda.

No fim, acabamos assistindo ao *300*, um filme de guerra sobre trezentos espartanos que protegem Esparta de um exército invasor com, tipo, um bilhão de persas. O filme do Augustus começou de novo antes do meu e, depois de alguns minutos ouvindo ele dizer: "Droga!" ou "Finalizado!" toda vez que alguém era brutalmente assassinado, me inclinei sobre o apoio para o braço e encostei a cabeça no ombro dele para, de fato, assistirmos ao filme juntos em apenas uma das telas.

300 apresentava uma coleção respeitável de jovens sem camisa, musculosos e com óleo no corpo, e por isso não era particularmente difícil de ver, mas o que o filme mais mostrava era um monte de espadas empunhadas sem um propósito legítimo. Os corpos de persas e espartanos iam se acumulando e eu não consegui entender direito por que os persas eram tão do mal e os espartanos, tão do bem. "A contemporaneidade", citando o *UAI*, "se especializa no tipo de batalha no qual ninguém perde nada de valor, exceto, como se poderia argumentar, suas vidas." E era isso o que acontecia com aqueles titãs em batalha.

Perto do fim do filme estavam quase todos mortos, e houve um momento insano em que os espartanos começam a empilhar os corpos para formar uma parede de cadáveres, que se transformou numa enorme barreira separando os persas do caminho para Esparta. Achei aquela carnificina um pouco gratuita, então desviei o olhar da tela por um segundo e perguntei ao Augustus:

— Quantas pessoas você acha que morreram?

Ele fez um gesto para eu calar a boca e disse:

— *Shh. Shh.* É agora que as coisas vão ficar interessantes.

Quando os persas atacaram precisaram escalar a parede da morte, e os espartanos conseguiram ocupar o topo da montanha de cadáveres. Conforme os corpos iam se acumulando, a parede de mártires se tornava ainda mais alta e, portanto, mais difícil de escalar. Todos brandiam as espadas/atiravam flechas e rios de sangue corriam montanha da morte abaixo etc.

Afastei a cabeça do ombro do Augustus por um instante para dar um tempo daquelas cenas sanguinárias e observei-o assistindo ao filme. Ele não pôde conter o sorriso bobo. Olhei para a minha tela de canto de olho e vi a montanha de corpos de persas e espartanos crescendo. Quando os persas finalmente derrotaram os espartanos, olhei para o Augustus de novo. Embora os bonzinhos tivessem acabado de perder a batalha, ele parecia completamente *satisfeito*. Eu me aconcheguei a ele de novo, mas mantive os olhos fechados até a guerra acabar.

Enquanto rolavam os créditos, ele tirou os fones de ouvido e disse:

— Foi mal, eu estava submerso na nobreza do sacrifício. O que você ia dizendo?

— Quantas pessoas acha que morreram?

— Tipo, quantas personagens fictícias morreram neste filme fictício? Não o suficiente — ele brincou.

— Não, quer dizer, tipo, desde sempre. Tipo, quantas pessoas você acha que já morreram até hoje?

— Por acaso, eu sei a resposta para essa pergunta — ele disse. — Há sete bilhões de pessoas vivas no mundo, e mais ou menos noventa e oito bilhões de mortos.

— Ah — falei.

Eu achava que porque o crescimento populacional tinha sido muito acelerado, houvesse mais pessoas vivas do que todos os mortos juntos.

— Há cerca de quatorze pessoas mortas para cada vivo — ele disse.

Os créditos continuaram rolando. Demorava muito para que todos os cadáveres fossem identificados, imagino. Minha cabeça ainda estava encostada no ombro dele.

— Pesquisei isso uns anos atrás — o Augustus continuou. — Eu estava me perguntando se todo mundo poderia ser lembrado. Tipo, se nós nos organizássemos, e designássemos uma determinada quantidade de cadáveres para cada vivo, será que haveria pessoas vivas o suficiente para se lembrar de todos os mortos?

— E há?

— Claro. Qualquer um pode listar quatorze mortos. Mas nós somos uns pranteadores muito desorganizados, por isso acaba que muitas pessoas se lembram de Shakespeare e ninguém nem pensa na pessoa para quem ele escreveu o soneto cinquenta e cinco.

— É — falei.

Fiquei em silêncio por um minuto, e aí ele perguntou:

— Você quer ler ou alguma coisa assim?

Respondi que sim. Comecei a ler um poema chamado *Uivo*, de Allen Ginsberg, para minha aula de poesia, e o Gus pegou para reler o *Uma aflição imperial*.

Depois de um tempo, ele falou:

— É bom?

— O poema? — perguntei.

— É.

— É. É muito bom. Os caras nesse poema tomam mais drogas que eu. Como está o *UAI*?

— Ainda perfeito — ele respondeu. — Recite para mim.

— Esse não é bem o tipo de poesia para você ler em voz alta com a mãe dormindo ao lado. Tem, tipo, sodomia e pó de anjo — falei.

— Você acabou de mencionar dois dos meus passatempos favoritos — ele disse. — Tá, então recite alguma outra coisa para mim.

— Humm — falei. — Eu não *tenho* mais nada.

— Que pena. Estou seco por uma poesia. Você sabe alguma de cor?

— "Sigamos então, tu e eu" — comecei, meio nervosa. — "Enquanto o poente, no céu se estende / Como um paciente anestesiado sobre a mesa."

— Mais devagar — ele pediu.

Eu fiquei com um pouco de vergonha, como quando contei a ele sobre o *Uma aflição imperial*.

— Ah, tá. Tá. "Sigamos por certas ruas quase ermas, / Através dos sussurrantes refúgios / De noites indormidas em hotéis baratos, / Ao lado de botequins onde a serragem / Às conchas das ostras se entrelaça: / Ruas que se alongam como um tedioso argumento / Cujo insidioso intento / É atrair-te a uma angustiante questão... / Oh, não perguntes: 'Qual?' / Sigamos a cumprir nossa visita."

— Estou apaixonado por você — ele disse, baixinho.

— Augustus — falei.

— Eu estou — ele disse, me encarando, e pude ver os cantos dos seus olhos se enrugando. — Estou apaixonado por você e não quero me negar o simples prazer de compartilhar algo verdadeiro. Estou apaixonado por você, e sei que o amor é apenas um grito no vácuo, e que o esquecimento é inevitável, e que estamos todos condenados ao fim, e que haverá um dia em que tudo o que fizemos voltará ao pó, e sei que o sol vai engolir a única Terra que podemos chamar de nossa, e eu estou apaixonado por você.

— Augustus — repeti, sem saber mais o que dizer.

Senti como se tudo estivesse crescendo dentro de mim, como se eu me afogasse numa alegria estranhamente dolorosa, mas não consegui dizer aquilo de volta. Não consegui falar nada. Só olhei para ele e deixei que olhasse para mim, até que ele assentiu, comprimiu os lábios, virou para o outro lado e encostou a cabeça na janela.

CAPÍTULO ONZE

Acho que ele deve ter acabado dormindo. Eu peguei no sono, e acordei com o barulho do trem de pouso sendo baixado. Estava com um gosto horrível na boca, por isso tentei mantê-la fechada com medo de intoxicar o avião inteiro.

Virei para o Augustus, que olhava pela janela, e enquanto mergulhávamos através de um bloco de nuvens baixas endireitei as costas para ver a Holanda. A terra parecia afundada no oceano, pequenos retângulos de verde rodeados de canais por todos os lados. Na verdade, nós aterrissamos numa pista paralela a um canal, como se houvesse duas delas: uma para nós e outra para as aves aquáticas.

Depois de pegar nossa bagagem e passar pela alfândega, nos amontoamos num táxi dirigido por um homem careca e rechonchudo que falava inglês perfeitamente — tipo, melhor que eu.

— Hotel Filosoof? — falei.

E ele perguntou:

— Vocês são americanos?

— Sim — mamãe respondeu. — Somos de *Indiana*.

— Indiana — ele falou. — Eles roubam a terra dos índios e deixam o nome, é?

— Mais ou menos isso — mamãe respondeu.

O taxista se embrenhou pelo tráfego e seguimos em direção a uma estrada que continha várias placas azuis com palavras de vogais dobradas: Oosthuizen, Haarlem. Ao lado, uma planície desocupada se estendia por vários quilômetros, interrompida por uma ou outra sede gigantesca de alguma empresa. Resumindo, a Holanda se parecia com Indianápolis, só que com carros menores.

— Isso aqui é Amsterdã? — perguntei ao motorista de táxi.

— Sim e não — ele respondeu. — Amsterdã é como os anéis de uma árvore: fica mais velha conforme você vai chegando perto do centro.

Aconteceu tudo de repente: saímos da estrada e vimos as casas geminadas da minha imaginação repousando precariamente sobre os canais, bicicletas onipresentes, e cafés anunciando: SALÃO DE FUMO. O táxi passou por cima de um canal e eu pude ver, do alto da ponte, várias casas flutuantes atracadas. Não se parecia em nada com os Estados Unidos da América. Parecia uma pintura antiga, só que real — tudo dolorosamente idílico à luz da manhã —, e eu pensei em como seria maravilhosamente estranho morar num lugar onde quase tudo havia sido construído por pessoas mortas.

— Essas casas são muito antigas? — perguntou minha mãe.

— Muitas das casas do canal datam da Idade de Ouro, o século dezessete — ele disse. — Nossa cidade tem uma história riquíssima, embora muitos turistas só queiram ver o Bairro da Luz Vermelha. — Ele fez uma pausa. — Alguns turistas acham que Amsterdã é a cidade do pecado, mas a verdade é que ela é a cidade da liberdade. E é na liberdade que a maioria das pessoas encontra o pecado.

Todos os quartos do Hotel Filosoof haviam sido batizados em homenagem a filósofos: mamãe e eu ficamos no térreo, no

Kierkegaard; o Augustus estava um andar acima, no Heidegger. Nosso quarto era pequeno: uma cama de casal encostada numa das paredes com a minha máquina BiPAP, um concentrador de oxigênio e vários cilindros recarregáveis ao pé da cama. Passado o equipamento, havia uma cadeira Paisley velha e empoeirada com o assento afundado, uma mesa e uma prateleira acima da cama contendo a coleção completa dos livros de Søren Kierkegaard. Na mesa encontramos uma cesta de vime cheia de presentes enviados pelos Gênios: tamancos de madeira, uma camiseta cor de laranja da Holanda, chocolates e vários outros itens.

O Filosoof ficava ao lado do Vondelpark, o parque mais famoso de Amsterdã. Mamãe quis sair para passear, mas eu estava supercansada, então ela colocou o BiPAP para funcionar e ajeitou a máscara em mim. Eu odiava falar com aquela coisa no nariz, mas:

— Vá passear no parque que eu ligo para você quando acordar.

— Está bem — ela disse. — Durma bem, querida.

Mas, quando acordei algumas horas depois, ela estava sentada na velha cadeira no canto, lendo um guia turístico.

— Bom dia — eu disse.

— Na verdade, é fim de tarde — ela comentou, levantando da cadeira com um suspiro. Andou até a cama, colocou um cilindro no carrinho e o conectou ao tubo enquanto eu tirava a máscara do BiPAP do rosto e inseria o cateter no nariz. Ela programou o cilindro para 2,5 litros por minuto, seis horas até que eu precisasse que ele fosse trocado, e só aí levantei. — Como está se sentindo? — ela perguntou.

— Bem — respondi. — Ótima. Como foi lá no Vondelpark?

— Não cheguei a ir — respondeu. — Mas li tudo sobre ele no guia turístico.

— Mãe — falei —, você não precisava ter ficado aqui.
Ela deu de ombros.
— Sei disso. Mas eu quis ficar. Gosto de ver você dormindo.
— Disse a criatura maníaco-obsessiva. — Ela riu, mas ainda assim me senti mal. — Só quero que você se divirta, sabe?
— Está bem. Vou me divertir hoje à noite, combinado? Vou cometer loucuras por aí enquanto você e o Augustus saem para jantar.
— Sem você? — perguntei.
— É. Sem mim. Para falar a verdade, vocês já têm uma reserva num lugar chamado Oranjee — ela disse. — A assistente do Sr. Van Houten organizou tudo. O restaurante fica num bairro chamado Jordaan. Muito chique, segundo o guia turístico. Há uma estação de bonde logo depois da curva. O Augustus tem as instruções de como chegar lá. Vocês podem comer ao ar livre e ver os barcos passando. Vai ser um programa adorável. Bastante romântico.
— Mãe.
— Só estou falando — ela disse. — Você deveria se arrumar. O vestido de alcinha, talvez?

A insanidade daquela situação seria de deixar qualquer um embasbacado: a mãe manda a filha de dezesseis anos sozinha com um garoto de dezessete para um programa numa cidade estrangeira famosa por sua permissividade. Mas isso, também, era um efeito colateral de se estar morrendo: eu não podia correr nem dançar nem comer alimentos ricos em nitrogênio, mas na cidade da liberdade eu estava entre os residentes mais liberados de lá.

Usei mesmo o vestido de alcinha — um modelo azul com estampa floral e que ia até o joelho, da Forever 21 — com meia-calça e sapatos boneca, porque eu gostava de ser bem mais baixa que ele. Entrei no banheiro ridiculamente pequeno e lutei com meus cabelos despenteados durante algum tempo até que tudo parecesse o mais próximo possível com a Natalie

Portman de 2005, 2006. Às seis da tarde em ponto (meio-dia em casa), houve uma batida à porta.

— Oi? — eu disse, sem abrir.

Não havia olho-mágico no Hotel Filosoof.

— O.k. — respondeu o Augustus.

Pelo som da voz dele deu para perceber que estava com o cigarro na boca. Dei uma olhada em mim. O vestido de alcinha deixava à mostra muito mais do que o que o Augustus já tinha visto da minha caixa torácica e das minhas clavículas. Não era obsceno nem nada, mas era o mais perto que eu havia chegado de mostrar a pele na minha vida inteira. (Minha mãe tinha um lema com o qual eu concordava: "Lancaster que é Lancaster não anda por aí de barriga de fora.")

Abri a porta. O Augustus estava de terno preto, as lapelas estreitas, o caimento perfeito, com uma camisa social azul-clara e uma gravata-borboleta fina. O cigarro pendia do canto da boca.

— Hazel Grace — ele disse —, você está linda.

— Eu — falei. Fiquei achando que o resto da frase surgiria só por ter ar passando pelas minhas cordas vocais, mas nada aconteceu. Por fim, acabei dizendo: — Estou me sentindo malvestida.

— Ah, essa coisa velha? — ele falou, sorrindo para mim.

— Augustus — minha mãe disse atrás de mim —, você está *extremamente* bonito.

— Obrigado, senhora — ele disse, me oferecendo o braço.

Apoiei a mão nele e olhei para trás, para a mamãe.

— Vejo vocês às onze — ela disse.

Esperando pelo bonde número um numa larga avenida com tráfego intenso, falei para o Augustus:

— Esse é o terno que você usa em enterros?

— Na verdade, não — ele disse. — O outro não é nem de longe tão bonito.

O bonde azul e branco chegou e o Augustus entregou nossos cartões para o motorista, que explicou que precisávamos passá-los por cima de um sensor circular. Enquanto atravessávamos o bonde lotado, um senhor se levantou para podermos sentar juntos e eu tentei dizer para ele continuar sentado, mas o homem fez um gesto insistente em direção ao assento. Andamos de bonde por três paradas, eu me apoiando no Gus para que pudéssemos olhar pela janela ao mesmo tempo.

O Augustus apontou para o alto, para as árvores, e perguntou:

— Viu aquilo?

Eu vi. Havia olmos por todo lado pelos canais, e algumas sementes estavam sendo carregadas pelo vento. Mas não pareciam sementes. Pareciam, precisamente, pétalas de rosa descoloridas e em miniatura. Essas pétalas claras se juntavam no vento como pássaros voando em bando — milhares deles, como uma tempestade de neve na primavera.

O senhor que nos deu o lugar reparou que estávamos observando aquilo e disse, em inglês:

— É primavera em Amsterdã. Os *iepen* jogam confete para dar as boas-vindas à primavera.

Trocamos de bonde e depois de quatro outras paradas chegamos a uma rua dividida por um lindo canal, os reflexos da antiga ponte e das pitorescas casas do canal ondulando na água.

O Oranjee ficava a alguns passos. O restaurante era num lado da rua e as mesas ao ar livre, no outro, em cima de uma extensão de concreto bem à margem do canal. Os olhos da recepcionista brilharam quando o Augustus e eu andamos na direção dela.

— Sr. e Sra. Waters?

— Pois não? — falei.

— Sua mesa — ela disse, apontando para o outro lado da rua, para uma mesinha a alguns centímetros do canal. — O champanhe é cortesia da casa.

O Gus e eu nos entreolhamos, sorrindo. Depois que atravessamos, ele puxou a cadeira para mim e me ajudou a chegar para a frente com ela. De fato havia duas taças de champanhe na mesa coberta por uma toalha branca. O leve frescor no ar era magnificamente contrabalançado pelo calor da luz do sol; de um lado, ciclistas passavam pedalando — homens e mulheres bem-vestidos voltando do trabalho a caminho de casa, loiras inacreditavelmente atraentes sentadas de lado na garupa da bicicleta de alguma amiga, crianças bem pequenas de capacete sacolejando em cadeirinhas de plástico atrás de seus pais. E, do outro lado, a água do canal saturada pelos milhões de sementes-confete. Pequenos barcos estavam atracados aos muros de tijolos, com água da chuva até a metade, alguns quase naufragando. Um pouco mais adiante dava para ver casas flutuantes em pontões e, no meio do canal, um barco com o fundo plano, todo aberto, repleto de espreguiçadeiras e com um aparelho de som portátil vinha na nossa direção. O Augustus ergueu a taça de champanhe. Ergui a minha, mesmo sem nunca ter bebido nada alcoólico — fora as vezes que dei umas bicadinhas na cerveja do meu pai.

— O.k. — ele disse.

— O.k. — falei, e fizemos tintim com as taças. Tomei um gole. As bolinhas se desmancharam na minha boca e viajaram em direção ao norte, para dentro da cabeça. Doce. Frisante. Delicioso. — Isso é muito bom — falei. — Nunca tinha bebido champanhe.

Um jovem garçom, os cabelos loiros e ondulados, apareceu. Acho que era ainda mais alto que o Augustus.

— Vocês sabem o que Dom Pérignon disse depois de inventar o champanhe? — ele perguntou com um sotaque delicioso.

— Não? — falei.

— Ele chamou os outros monges e disse: "Venham depressa! Estou bebendo estrelas." Bem-vindos a Amsteıdã. Vocês gostariam de olhar o cardápio ou preferem a sugestão do *chef*?

Olhei para o Augustus e ele, para mim.

— A sugestão do *chef* parece ótima, mas a Hazel é vegetariana.

Eu só havia falado disso com o Augustus uma vez, no dia em que nos conhecemos.

— Isso não é problema — disse o garçom.

— Beleza. E será que poderíamos tomar um pouco mais disso? — o Gus perguntou, falando do champanhe.

— Claro — respondeu nosso garçom. — Nós engarrafamos todas as estrelas esta noite, jovens amigos. Ai, esse confete! — ele falou e deu uma espanada de leve numa semente que havia pousado no meu ombro nu. — Há tempos não caíam tantos assim. Estão em todo lugar. Isso é muito irritante.

O garçom desapareceu. Ficamos olhando o confete caindo do céu, rolando pelo chão com a brisa e terminando no canal.

— É meio difícil de acreditar que alguém possa achar isso irritante — o Augustus disse depois de um tempo.

— As pessoas sempre acabam ficando insensíveis à beleza.

— Eu ainda não fiquei insensível a você — ele retrucou, sorrindo. Fiquei vermelha. — Obrigado por vir a Amsterdã.

— Obrigada por me deixar sequestrar seu desejo — falei.

— Obrigado por usar esse vestido que é, tipo, "*uau*".

Balancei a cabeça, tentando não sorrir. Eu não queria ser uma granada. Mas, para falar a verdade, ele sabia o que estava fazendo, não sabia? Era uma questão de escolha para ele também.

— Ei, como termina aquele poema? — ele perguntou.

— Hein?

— Aquele que você recitou para mim no avião.

— Ah, o "Prufrock"? Acaba assim: "Tardamos nas câmaras do mar / Junto às ondinas com sua grinalda de algas rubras e castanhas / Até sermos acordados por vozes humanas. E nos afogarmos."

O Augustus tirou um cigarro do maço e bateu com o filtro na mesa.

— Essas estúpidas vozes humanas sempre estragando tudo.

O garçom chegou com mais duas taças de champanhe e com o que chamou de "Aspargos brancos belgas com infusão de lavanda".

— Eu também nunca tinha bebido champanhe — o Gus disse depois que o garçom se afastou. — Caso você tenha ficado se perguntando isso, e tal. E também nunca tinha comido aspargos brancos.

Eu estava no meio da primeira garfada.

— É fantástico — garanti.

Ele deu uma garfada, engoliu.

— Céus. Se os aspargos tivessem sempre esse gosto eu também seria vegetariano.

Algumas pessoas num barco de madeira envernizada se aproximaram lá embaixo no canal. Uma delas, uma loira de cabelos cacheados, com uns trinta anos, talvez, ergueu seu copo de cerveja na nossa direção e gritou algo.

— Nós não falamos holandês — o Gus gritou para ela.

Uma das outras gritou uma tradução:

— O casal bonito é bonito.

A comida era tão boa que a cada prato nossa conversa recaía em mais exaltações fragmentadas daquela deliciosidade: "Eu quero que esse risoto de cenoura roxa se transforme numa pessoa para que eu possa levá-la até Las Vegas e me casar com ela." "*Sorbet* de ervilha-de-cheiro, você é tão surpreendentemente magnífico." Queria estar com mais fome.

Depois do nhoque de alho verde com folhas de mostarda vermelha, o garçom disse:

— A sobremesa já está a caminho. Gostariam de beber mais estrelas antes?

Balancei a cabeça negativamente. Duas taças eram o bastante para mim. O champanhe não era exceção à minha alta resistência a calmantes e analgésicos; eu estava alegre, mas não bêbada. E nem pretendia ficar. Noites como aquela não aconteciam com frequência, e eu queria me lembrar dela.

— Humm — falei depois que o garçom saiu, e o Augustus deu aquele sorriso torto, olhando para um lado do canal enquanto eu olhava para o outro.

Nós tínhamos muito o que ver, e por isso aquele silêncio não era estranho, de verdade, mas eu queria que tudo fosse perfeito. E *era* perfeito, acho, só que dava a impressão de que alguém tinha tentado encenar a Amsterdã da minha imaginação, o que tornou mais difícil esquecer que aquele jantar, assim como a viagem em si, eram um Privilégio do Câncer. Eu só queria que ficássemos conversando e rindo confortavelmente, como fazíamos no sofá lá em casa, mas alguma tensão permeava aquilo tudo.

— Não é o terno que eu uso em enterros — ele disse após alguns minutos. — Quando descobri que estava doente, eles me disseram que minha chance de cura era de oitenta e cinco por cento. Sei que essa é uma probabilidade favorável, mas não pude deixar de pensar que estava numa roleta-russa. Quer dizer, eu teria que passar o maior sufoco por um tempo, de seis meses a um ano, e perder minha perna, e, no fim, aquilo *ainda assim* poderia não funcionar, sabe?

— Sei — falei, mesmo não sabendo.

Não de verdade. Eu nunca fui outra coisa a não ser uma paciente terminal; todo o meu tratamento tinha como objetivo estender a minha vida, e não curar o câncer. O Falanxifor havia introduzido um grau de ambiguidade à história, mas eu era diferente do Augustus: meu capítulo final foi escrito no momento do diagnóstico. O Gus, como a maioria dos sobreviventes do câncer, vivia na incerteza.

— Certo — ele disse. — Então passei por todo um processo de querer estar preparado. Compramos um lote em Crown

Hill, e eu fui lá um dia com meu pai e escolhi um local. Planejei todo o meu enterro e tudo mais, e então, logo antes da cirurgia, perguntei a meus pais se poderia comprar um terno, tipo, um terno dos bons, só para o caso de eu bater as botas. No fim das contas, nunca tive oportunidade de usá-lo. Até hoje.

— Então este é o seu terno mortuário.

— Exatamente. Você não tem uma roupa para o seu enterro?

— Tenho — respondi. — É um vestido que comprei para o meu aniversário de quinze anos. Mas não uso esse vestido em encontros românticos.

Os olhos dele brilharam.

— Nós estamos num encontro romântico?

Olhei para o chão, envergonhada.

— Não force a barra.

Ambos estávamos totalmente satisfeitos, mas a sobremesa — um opulento e suculento *cremeaux* rodeado de maracujá — era boa demais para não provarmos pelo menos um pouquinho, então protelamos o pedido por um tempo, tentando ficar com fome de novo. O sol era uma criança pequena se recusando terminantemente a ir para a cama. já eram mais de oito e meia da noite e o céu ainda estava claro.

Do nada, o Augustus perguntou:

— Você acredita em vida após a morte?

— Eu acho que a eternidade é um conceito errôneo — respondi.

Ele sorriu de um jeito afetado.

— Você é um conceito errôneo.

— Eu sei. E é por isso que estou sendo retirada da rotação.

— Isso não é engraçado — ele disse, olhando para a rua.

Duas meninas passaram numa bicicleta, uma sentada de lado em cima da roda traseira, de carona.

— *Peraí* — falei. — Eu só estava brincando.

— Não tem a menor graça para mim imaginar você sendo retirada da rotação — ele disse. — Agora, sério: e a vida após a morte?

— Não — falei, e depois me corrigi. — Bem, para falar a verdade, eu não diria um "não" tão categórico assim, talvez. E você?

— Eu acredito — ele disse, confiante. — Acredito, com certeza. Não num paraíso onde você anda de unicórnio, toca harpa e vive numa mansão feita de nuvem. Mas, sim, eu acredito em Algo com A maiúsculo. Sempre acreditei.

— Sério? — perguntei.

Aquilo me surpreendeu. Eu sempre relacionei a crença no paraíso com, sendo bem sincera, um tipo de limitação intelectual. Mas o Gus não era burro.

— É — ele respondeu baixinho. — Eu acredito naquela frase de *Uma aflição imperial*. "A luz do sol nascente forte demais em seus olhos que perecem." Acho que o sol nascente é Deus, e a luz do sol é muito forte e os olhos dela estão perecendo, mas não estão perdidos. Eu não acredito que retornamos para assombrar ou consolar os vivos nem nada, mas acho que nos transformamos em alguma coisa.

— Mas você tem medo do esquecimento.

— Sim, eu tenho medo do esquecimento terreno. Mas, quer dizer, não quero parecer meu pai nem minha mãe falando, mas acredito que os seres humanos têm alma, e acredito na manutenção da alma. O medo do esquecimento é outra coisa, o medo de não ser capaz de dar a minha vida em troca de nada. Se você não vive uma vida a serviço de um bem maior, precisa pelo menos morrer uma morte a serviço de um bem maior, sabe? E eu tenho medo de não ter nem uma vida nem uma morte que signifique alguma coisa.

Eu balancei a cabeça.

— O que foi? — ele perguntou.

— A sua obsessão por, tipo, morrer por alguma coisa, ou por deixar para trás algum símbolo memorável do seu heroísmo, e tal. É estranho.

— Todo mundo quer ter uma vida extraordinária.

— Nem todo mundo — falei, sem conseguir disfarçar minha irritação.

— Ficou chateada?

— É só que — falei, mas não consegui terminar a frase. — Só que — falei de novo. Entre nós dois, a luz de uma vela tremulava. — É muita maldade sua dizer que as únicas vidas que importam são aquelas vividas por alguma coisa ou mortas por alguma coisa. É muita maldade dizer uma coisa dessas para mim.

Por algum motivo me senti como uma criancinha, e dei uma colherada na sobremesa para fazer parecer que aquilo não tinha tanta importância assim.

— Foi mal — ele disse. — Não foi a minha intenção. Eu só estava pensando em mim mesmo.

— É, estava — falei.

Não dava para terminar de comer a sobremesa. Meu estômago estava cheio demais. Fiquei com medo de vomitar, na verdade, porque de vez em quando eu vomitava depois de comer. (Nada a ver com bulimia, só câncer.) Empurrei o prato de sobremesa na direção do Gus, mas ele sacudiu a cabeça.

— Foi mal — falou de novo, esticando o braço sobre a mesa para pegar a minha mão.

Deixei que ele a pegasse.

— Eu poderia ser pior, sabe?

— Como? — perguntei, em tom de desafio.

— Quer dizer, eu tenho uma frase escrita à mão acima da minha privada que diz: "Banhe-se Diariamente no Consolo das Palavras de Deus", Hazel. Eu poderia ser muito pior.

— Isso não parece nada higiênico — falei.

— Eu poderia ser pior.
— Você poderia ser pior. — Sorri. Ele gostava mesmo de mim. Talvez eu fosse um pouco narcisista, e tal, mas quando percebi isso naquele momento no Oranjee, passei a gostar mais ainda dele.

Quando nosso garçom apareceu para levar os pratos de sobremesa, anunciou:

— Sua refeição foi paga pelo Sr. Peter Van Houten.

O Augustus sorriu.

— Esse tal de Peter Van Houten não é tão mau assim.

Andávamos pela margem do canal quando começou a escurecer. À distância de um quarteirão do Oranjee, paramos num banco de praça rodeado de bicicletas velhas e enferrujadas presas com cadeado a *racks* e umas às outras. Nós nos sentamos lado a lado, os quadris encostados, de frente para o canal, e ele colocou o braço nos meus ombros.

Dava para ver a luminosidade vinda do Bairro da Luz Vermelha. Mesmo sendo o Bairro da Luz *Vermelha*, o brilho que vinha de lá tinha um misterioso tom de verde. Imaginei milhares de turistas se embebedando, se drogando e passando de mão em mão por aquelas ruas estreitas.

— Nem acredito que ele vai nos contar tudo amanhã — falei. — Peter Van Houten vai nos contar o famoso fim não publicado do melhor livro do mundo.

— Além de ter pago o nosso jantar — o Augustus disse.

— Fico fantasiando que ele vai nos revistar à procura de gravadores antes de nos contar. E aí vai se sentar no meio de nós no sofá da sala de estar dele e sussurrar a resposta para a pergunta que fiz sobre a mãe da Anna ter se casado ou não com o Homem das Tulipas Holandês.

— Não se esqueça do Sísifo, o *hamster* — o Augusto acrescentou.

— Certo, e também, é claro, sobre que destino aguardou Sísifo, o *hamster*. — Eu me inclinei para a frente, para olhar a água do canal. Havia uma quantidade exagerada daquelas pétalas de olmo desbotadas. — Uma continuação que só vai existir para nós — falei.

— Qual é o seu palpite? — ele perguntou.

— Não sei. De verdade. Já pensei nisso tudo, de trás para a frente e da frente para trás, umas mil vezes. Cada vez que releio o livro, penso diferente, sabe?

Ele assentiu com a cabeça.

— Você tem uma teoria? — perguntei.

— Tenho. Eu não acho que o Homem das Tulipas Holandês seja vigarista, mas também não é rico como as faz acreditar. E acho que depois que a Anna morre, a mãe vai para a Holanda com ele pensando que vão morar lá para sempre, mas não dá certo, porque ela quer ficar perto de onde a filha viveu.

Eu não tinha me dado conta de que ele pensava tanto assim no livro, que o Gus se importava com o *Uma aflição imperial* independentemente de se importar comigo.

A água banhava silenciosa os muros de pedra do canal abaixo de nós; um grupo de amigos passou em bando, de bicicleta, gritando uns para os outros num holandês gutural e acelerado; os barquinhos, pouco maiores que eu, estavam metade submersos no canal; o cheiro de água muito parada por muito tempo; o braço dele me puxando para perto; a perna de verdade dele encostando na minha perna de verdade do quadril até o pé. Cheguei um pouco mais perto do corpo dele. Ele se retraiu.

— Foi mal. Você está bem?

Ele murmurou um sim em resposta, claramente sentindo alguma dor.

— Foi mal — falei de novo. — Ombro ossudo.

— Está tudo bem — ele disse. — Lindo, na verdade.

Ficamos sentados ali por um bom tempo. A mão dele acabou abandonando meu ombro e pousou no encosto do banco de praça. Basicamente nós só olhávamos fixamente para o canal. Eu estava pensando bastante a respeito de como tinham feito aquele lugar existir mesmo devendo estar submerso, e em como eu era, para a Dra. Maria, um tipo de Amsterdã, uma anomalia parcialmente submersa, e aquilo me fez pensar na morte.

— Posso fazer uma pergunta sobre a Caroline Mathers?

— E você ainda diz que não existe vida após a morte — ele respondeu sem olhar para mim. — Mas pode, claro. O que você quer saber?

Eu queria saber se ele ficaria bem se eu morresse. Queria não ser uma granada, não ser uma força malévola nas vidas das pessoas que eu amava.

— Só, tipo, o que aconteceu.

Ele suspirou, soltando o ar por tanto tempo que, para os meus pulmões de araque, parecia que ele estava se gabando. E colocou um cigarro novo na boca.

— Você sabe que não há no mundo lugar menos frequentado que o *playground* de um hospital, não sabe?

Eu fiz que sim com a cabeça.

— Bem, eu passei algumas semanas no Memorial quando eles amputaram a minha perna, e tal. Fiquei internado no quinto andar e meu quarto dava vista para o *playground*, que obviamente ficava sempre em total abandono. Eu estava submerso na ressonância metafórica do *playground* vazio no pátio do hospital. Mas aí uma garota começou a aparecer todos os dias *ali*, sozinha. Sentava no balanço e se balançava, sem ninguém por perto, como numa cena de filme. Então eu pedi para uma das minhas enfermeiras mais legais me contar o que sabia sobre ela, e a mulher a levou lá em cima para uma visita, e era a Caroline, e eu usei o meu carisma imenso para conquistá-la.

O Gus fez uma pausa, então resolvi dizer alguma coisa.

— Você não é tão carismático assim.

Ele fez pouco caso, duvidando da veracidade do meu comentário.

— Você é basicamente só gato — expliquei.

Ele riu disso.

— O problema com os mortos — disse, e então parou. — O problema é que você acaba sendo considerado um crápula se não romantizar os mortos, mas a verdade é... complicada, acho. Tipo, você está familiarizada com a imagem da vítima de câncer estoica e determinada que luta heroicamente contra a doença com uma força sobre-humana e nunca reclama nem para de sorrir, nem mesmo em seus últimos instantes de vida, etcetera?

— Se estou — falei. — São aquelas almas bondosas e generosas cujos gestos são uma Inspiração para Todos Nós. Elas são tão fortes! Nós as admiramos tanto!

— Certo, mas na verdade, quer dizer, além de nós dois, obviamente, as crianças com câncer não são estatisticamente mais propensas a serem incríveis, nem compassivas, nem perseverantes, nem nada. A Caroline estava sempre de mau humor e infeliz, mas eu gostava daquilo. Gostava de achar que a Caroline tinha me escolhido como a única pessoa no mundo que não ia odiar, e assim nós passávamos o tempo todo juntos tirando sarro com a cara dos outros, sabe? Zombando das enfermeiras, das outras crianças, das nossas famílias e de quem quer que fosse. Mas não sei se isso era ela ou o tumor. Quer dizer, uma das enfermeiras dela me disse, certa vez, que o tipo de tumor que a Caroline tinha é conhecido entre os médicos como o Tumor dos Imbecis, porque ele simplesmente transforma a pessoa num monstro. Então lá estava aquela menina sem um quinto do cérebro e que acabara de ter uma recorrência do Tumor dos Imbecis, e ela não era o protótipo do heroísmo estoico da criança com câncer. Ela era... Quer dizer, para ser honesto, ela era uma megera. Mas não dá para dizer isso, porque ela carregava aquele tumor e também porque ela está, quer dizer, ela está morta. Ela tinha vários motivos para ser desagradável, sabe?

Eu sabia.

— Você se lembra daquela parte do *Uma aflição imperial* quando a Anna está atravessando o campo de futebol para ir para a aula de educação física, e tal, e cai de cara na grama, e é assim que ela sabe que o câncer voltou e que está no seu sistema nervoso, e ela não consegue se levantar, e a cara dela está a, tipo, dois centímetros da grama do campo de futebol, e ela simplesmente fica ali imóvel olhando para a grama tão próxima, analisando a forma como a luz incide sobre ela e... Eu não me lembro direito da frase, mas é algo que diz que a Anna tem uma epifania whitmanesca e, com isso, define a humanidade como a oportunidade de se maravilhar com a grandiosidade da criação, e tal. Você se lembra dessa parte?

— Eu me lembro dessa parte — falei.

— Então, depois, quando eu estava sendo estripado pela quimioterapia, por algum motivo resolvi ficar esperançoso de verdade. Não quanto à sobrevivência, especificamente, mas eu me senti como a Anna se sente no livro, aquela sensação de empolgação e gratidão por simplesmente ser capaz de se maravilhar com tudo.

"Mas, nesse meio tempo, a Caroline foi ficando pior a cada dia. Ela teve alta depois de um período e houve momentos em que achei que poderíamos ter, tipo, um relacionamento normal, mas não podíamos, na verdade, porque ela não possuía qualquer mecanismo de filtragem entre pensamento e fala, o que era triste, desagradável e muitas vezes doloroso. Mas, quer dizer, não se pode terminar o namoro com uma menina que sofre de câncer cerebral. Os pais dela gostavam de mim, e ela tinha um irmão menor que é uma criança muito maneira. Quer dizer, como eu poderia terminar o namoro? Ela estava *morrendo*.

"Demorou muito. Levou quase um ano, e foi um ano durante o qual eu convivi com uma garota que, tipo, do nada começava a rir, apontando para a minha prótese e me chamando de perneta."

— Não — falei.
— É. Quer dizer, era o tumor. Ele se alimentava do cérebro dela, sabe? Ou então não era o tumor. Não tenho como saber porque ela e o tumor não podiam ser desassociados. Mas conforme ela foi ficando mais doente, quer dizer, ela sempre repetia as mesmas histórias e ria dos próprios comentários, mesmo que já tivesse falado a mesma coisa umas cem vezes naquele dia. Tipo, ela repetiu a mesma brincadeira durante várias semanas: "O Gus tem pernas lindas. Quer dizer, perna." E aí ria enlouquecidamente.

— Ah, Gus — falei. — Isso é...

Eu não sabia o que dizer. Ele não estava olhando para mim, e tive a sensação de que ia invadir sua privacidade se o encarasse. Senti o corpo dele chegar para a frente. O Gus tirou o cigarro da boca e olhou para ele, rolando-o com o polegar e o indicador, e então levou-o de volta à boca.

— Bem — ele disse —, para falar a verdade, eu *tenho mesmo* uma perna linda.

— Sinto muito — falei. — Sinto mesmo.

— Está tudo bem, Hazel Grace. Mas, só para esclarecer, quando eu achei que tinha visto o fantasma de Caroline Mathers no Grupo de Apoio, não fiquei de todo feliz. Eu estava encarando você, mas não estava ansioso por conhecê-la, se é que você me entende.

Ele tirou o maço do bolso e colocou o cigarro de volta lá dentro.

— Sinto muito — falei de novo.

— Eu também — ele disse.

— Não quero nunca fazer uma coisa dessas com você — falei para ele.

— Ah, eu não ia me importar, Hazel Grace. Seria uma honra ter o coração partido por você.

CAPÍTULO DOZE

Abri os olhos às quatro horas da manhã holandesa, completamente acordada. Todas as tentativas de voltar a dormir foram em vão, então fiquei deitada ali com o BiPAP bombeando o ar para dentro e puxando o ar para fora, viajando nos ruídos de dragão mas desejando ser capaz de escolher de que jeito respirar.

Reli o *Uma aflição imperial* até a mamãe acordar e rolar para o meu lado, lá pelas seis horas. Ela aconchegou a cabeça no meu ombro, o que foi um pouco desconfortável e ligeiramente augustiniano.

O hotel serviu o café da manhã no nosso quarto e, para minha total satisfação, continha *frios* e muitas outras transgressões à composição do café da manhã norte-americano. O vestido que eu tinha planejado usar no encontro com o Peter Van Houten passou à frente dos outros na fila quando do jantar no Oranjee; por isso, assim que saí do banho e consegui deixar o cabelo mais ou menos liso, passei uma meia hora debatendo com a mamãe sobre as diversas vantagens e desvantagens dos figurinos disponíveis, até que resolvi me vestir o mais parecida com a Anna em *UAI* possível: Chuck Taylors, calça *jeans* escura do jeito que ela sempre usava e uma camiseta de malha azul-claro.

A estampa da camiseta era a reprodução de um famoso quadro surrealista de René Magritte, no qual ele pintou um cachimbo e escreveu embaixo, em letras cursivas: *Ceci n'est pas une pipe.* ("Isto não é um cachimbo.")

— Eu não consigo entender essa camiseta — mamãe falou.

— O Peter Van Houten vai entender, acredite. Em *Uma aflição imperial* há, tipo, umas sete mil referências ao Magritte.

— Mas isto *é* um cachimbo.

— Não, não é — falei. — É uma *ilustração* de um cachimbo. Entendeu agora? Todas as representações de um objeto são inerentemente abstratas. É muito inteligente.

— Como foi que você amadureceu tanto que consegue entender coisas que confundem sua velha mãe? — ela perguntou. — Parece que foi ontem que eu estava explicando para uma Hazel de sete anos por que o céu é azul. Você me achou um gênio naquela época.

— Por que o céu *é* azul? — perguntei.

— Porque sim — ela respondeu, e eu ri.

Quanto mais perto das dez horas ia chegando, mais ansiosa eu ficava: ansiosa para ver o Augustus; ansiosa para conhecer o Peter Van Houten; ansiosa ao imaginar que minha roupa talvez pudesse não ter sido uma boa escolha; ansiosa e com medo de não conseguirmos achar a casa certa, já que todas as casas em Amsterdã se parecem; ansiosa e temerosa de nos perdermos e não encontrarmos o caminho de volta para o Filosoof; ansiosa ansiosa ansiosa. Mamãe ficava tentando bater papo comigo, mas eu não conseguia prestar atenção nela direito. Eu já estava para pedir a ela que fosse até o andar de cima ver se o Augustus estava acordado, quando ele chegou.

Abri a porta. Ele olhou minha camiseta e sorriu.

— Muito engraçado — ele disse.

— Não chame meu peito de engraçado — retruquei.

— Eu estou bem aqui — mamãe disse lá de trás.

Mas eu tinha feito o Augustus enrubescer e ficar tão sem ação que finalmente pude sustentar o olhar dele.

— Tem certeza de que não quer ir também? — perguntei à mamãe.

— Vou visitar o Rijksmuseum e o Vondelpark hoje — ela respondeu. — Além do mais, não consigo gostar do livro dele. Sem querer ofender. Agradeça a ele e à Lidewij por nós, tá?

— Tá — respondi. Abracei a mamãe e ela beijou a minha cabeça bem acima da orelha.

A casa branca e geminada de Peter Van Houten ficava, saindo do hotel, logo depois da curva, na Vondelstraat, de frente para a área do parque. Número 158. O Augustus me deu a mão, carregou o carrinho do oxigênio com a outra, e nós subimos os três degraus que levavam até a porta pintada de verniz azul e preto da casa. Meu coração batia acelerado. Uma porta fechada era a distância entre mim e as respostas com as quais vinha sonhando desde a primeira vez que li a última página incompleta.

Dava para ouvir as batidas do som de um baixo, alto o suficiente para fazer tremer os parapeitos das janelas. Fiquei me perguntando se o Peter Van Houten teria um filho fã de *rap*.

Segurei a aldraba em formato de cabeça de leão e bati à porta, hesitante. O som do baixo continuou.

— Talvez ele não consiga ouvir por causa da música? — o Augustus comentou.

Ele pegou a cabeça do leão e bateu bem mais forte.

A música parou de tocar e foi substituída pelo som de passos trôpegos. Uma das trancas foi destravada. E mais outra. A porta se abriu com um rangido. Um homem barrigudo, de cabelo ralo, bochechas caídas e a barba de uma semana por fazer estreitou os olhos por causa da luz do sol. Ele usava um pijama azul-bebê, como um personagem de filme antigo. O rosto e a barriga eram tão redondos e os braços, tão magros, que ele parecia uma bola de massa de pão com quatro varetas enfiadas.

— Sr. Van Houten? — o Augustus perguntou, a voz esganiçando um tiquinho.

A porta se fechou com um estrondo. De trás dela, ouvi uma voz aguda e gaguejante gritar: "LIII-DEE-VI-GUE!" (Até aquele momento, eu vinha pronunciando o nome da assistente dele como li-de-vi-ge.)

Nós conseguíamos escutar tudo através da porta.

— Eles estão aqui, Peter? — uma mulher perguntou.

— Estão... Lidewij, há duas aparições adolescentes atrás da porta.

— Aparições? — ela perguntou, com uma melodia cadenciada tipicamente holandesa.

O Van Houten respondeu rápido.

— Fantasmas espectros demônios visitantes pós-terrestres *aparições*, Lidewij. Como pode uma pessoa que almeja obter um diploma de pós-graduação em literatura norte-americana demonstrar um conhecimento tão abominável da língua inglesa?

— Peter, aqueles não são visitantes pós-terrestres. Eles são o Augustus e a Hazel, os jovens fãs com os quais você vem se correspondendo.

— Eles são quem?! Eles... eu pensei que estivessem nos Estados Unidos da América!

— Sim, mas você os convidou para vir até aqui, se bem se lembra.

— Você sabe por que eu me mudei dos Estados Unidos, Lidewij? Para que nunca mais precisasse me encontrar com nenhum norte-americano.

— Mas você é norte-americano.

— Algo aparentemente incurável, imagino. Mas, quanto a *esses* norte-americanos aí, você deve pedir-lhes que vão embora imediatamente, que houve um terrível engano, que o bendito Van Houten fez um convite retórico, não a sério, que esse tipo de convite deve ser considerado algo simbólico.

Achei que fosse vomitar. Virei para o Augustus, que olhava vidrado para a porta, e vi os ombros dele se encurvando.

— Não farei isso, Peter — a Lidewij respondeu. — Você *deve* recebê-los. Você deve. Você precisa vê-los. Precisa ver como seu trabalho é importante.

— Lidewij, você me manipulou, de caso pensado, para provocar este encontro?

Um silêncio demorado se seguiu e, por fim, a porta se abriu de novo. Ele virou a cabeça metronomicamente do Augustus para mim, ainda com os olhos estreitados.

— Qual de vocês é o Augustus Waters? — perguntou.

O Augustus levantou a mão devagar. O Van Houten assentiu com a cabeça e disse:

— Você já resolveu a questão com aquela franguinha?

E foi quando vi, pela primeira e única vez, um Augustus Waters totalmente sem palavras.

— Eu — ele começou —, humm, eu, Hazel, humm. Bem.

— Este garoto parece ter algum tipo de retardamento — o Peter Van Houten disse para a Lidewij.

— *Peter* — ela o censurou.

— Bem — disse o Peter Van Houten, estendendo a mão para mim. — É um prazer sem igual conhecer criaturas tão ontologicamente improváveis.

Apertei a mão inchada dele e, em seguida, ele e o Augustus se cumprimentaram. Fiquei me perguntando o que a palavra *ontologicamente* significaria. Mesmo sem saber o que era, gostei dela. O Augustus e eu estávamos juntos no Time das Criaturas Improváveis: nós e os ornitorrincos.

É claro que eu tinha esperado que o Peter Van Houten fosse mentalmente são, mas o mundo não é uma fábrica de realização de desejos. A coisa mais importante era que a porta fora aberta e eu estava entrando ali para descobrir o que acontece depois do término do *Uma aflição imperial*. E isso era o suficiente. Seguimos ele e a Lidewij para dentro da casa, passamos por uma enorme mesa de jantar de madeira de carvalho com apenas duas cadeiras e chegamos a uma sala de estar estranhamente estéril. Parecia um museu, só que não havia quadro algum nas paredes brancas e vazias. Tirando um sofá e uma poltrona reclinável, ambos feitos de uma combinação de aço e couro preto, a sala parecia deserta. De repente, reparei em duas sacolas de lixo pretas grandes, cheias e lacradas com aqueles arames retorcidos, atrás do sofá.

— Lixo? — balbuciei para o Augustus, baixinho, achando que ninguém mais ouviria.

— Cartas de fãs — o Van Houten respondeu ao se sentar na poltrona reclinável. — Dezoito anos delas. Não posso abri-las. É aterrorizante. As de vocês foram as primeiras missivas às quais respondi, e vejam aonde isso me levou. Para ser sincero, acho a realidade dos leitores totalmente insossa.

Aquilo explicava por que o Van Houten nunca havia respondido às minhas cartas: ele não tinha lido nenhuma. Fiquei me perguntando por que guardava todas elas, ainda mais numa sala de estar formal e quase vazia. O Van Houten colocou os pés em cima do pufe à frente da poltrona reclinável e cruzou os chinelos. Ele apontou para o sofá. O Augustus e eu nos sentamos lado a lado, mas não perto *demais*.

— Vocês gostariam de tomar café da manhã? — a Lidewij perguntou.

Comecei a responder que já tínhamos comido quando o Peter me interrompeu.

— É cedo demais para o café da manhã, Lidewij.

— Bem, eles vêm dos Estados Unidos, Peter. Já passa do meio-dia para os dois.

— Neste caso é tarde demais para o café da manhã — ele disse. — Porém, já que passa do meio-dia para eles, deveríamos então nos servir de um drinque. Você toma uísque? — perguntou para mim.

— Se eu... hummm... não... obrigada — falei.

— Augustus Waters? — o Van Houten perguntou, balançando a cabeça para o Augustus.

— É... Não, obrigado.

— Para mim, apenas, Lidewij. Uísque e água, por favor. — O Peter transferiu a atenção para o Gus, perguntando: — Você sabe como preparamos uma dose de uísque escocês com água nesta casa?

— Não, senhor — o Gus respondeu.

— Colocamos o uísque num copo, depois pensamos na água, e então misturamos o uísque de verdade com a ideia abstrata da água.

— Talvez seja melhor tomar alguma coisa de café da manhã antes, Peter — a Lidewij disse.

Ele olhou para nós e sussurrou, fingindo que estava contando um segredo e que ela não podia ouvi-lo:

— A Lidewij acha que eu tenho problemas com a bebida.

— E eu acho que o sol nasceu — a Lidewij respondeu.

Mesmo assim, ela se encaminhou para o bar na sala de estar, pegou uma garrafa de uísque, serviu o copo até a metade e levou até ele. O Peter Van Houten tomou um gole e se ajeitou na cadeira, sentando-se ereto.

— Um drinque desta qualidade merece uma postura melhor — ele disse.

Fiquei consciente da minha própria postura e me endireitei um pouco no sofá. E ajeitei a cânula. Papai sempre dizia que é possível julgar as pessoas pelo modo como tratam garçons e assistentes. Nesse aspecto, o Peter Van Houten era, provavelmente, o cara mais idiota do mundo.

— Então você gosta do meu livro — ele disse para o Augustus depois de outro gole.

— Sim — respondi pelo Augustus. — E, sim, nós... bem, o Augustus, ele usou o Desejo dele para conhecer você, para que nós pudéssemos vir aqui e você pudesse nos contar o que acontece depois do fim do *Uma aflição imperial*.

O Van Houten não disse uma palavra. Apenas deu uma golada na bebida.

Depois de alguns instantes, o Augustus falou:

— Seu livro foi mais ou menos o que nos uniu.

— Mas vocês não são um casal — ele comentou, sem me olhar.

— O que quase nos uniu — falei.

Então ele olhou para mim.

— Você se vestiu igual a ela de propósito?

— Igual à Anna? — perguntei, e ele ficou só me encarando. — Pode-se dizer que sim.

Ele esvaziou o copo e fez uma careta.

— Eu não tenho problemas com a bebida — ele anunciou, a voz desnecessariamente alta. — Eu tenho uma relação churchilliana com o álcool: posso contar piadas, governar a Inglaterra e fazer o que quiser. Exceto deixar de beber.

Ele olhou para a Lidewij e fez um movimento com a cabeça em direção ao copo. Ela o pegou e andou de volta até o bar.

— Só a *ideia* de água, Lidewij — ele instruiu.

— Está bem, já entendi — ela disse, o sotaque quase como o nosso.

A segunda dose chegou. O Van Houten se empertigou todo de novo como forma de demonstrar respeito. E tirou os chinelos. Seus pés eram realmente feios. Ele estava arruinando a concepção que eu tinha de um gênio autoral. Mas possuía as respostas.

— Bem, humm — falei —, primeiro nós queremos agradecer pelo jantar de ontem à noite e...

— Nós pagamos o jantar para eles ontem à noite? — o Van Houten perguntou para a Lidewij.

— Sim. No Oranjee.

— Ah, sim. Bem, acreditem em mim quando digo que vocês não têm de me agradecer, e sim à Lidewij, que possui um talento excepcional quando se trata de gastar o meu dinheiro.

— O prazer foi todo nosso — a Lidewij disse.

— Bem, obrigado, de qualquer forma — o Augustus falou. Deu para sentir um quê de irritação na voz dele.

— Então aqui estou — o Van Houten disse após alguns instantes. — Quais são as suas perguntas?

— Humm — o Augustus murmurou.

— Ele parecia tão inteligente nas cartas — o Van Houten disse para a Lidewij, a respeito do Augustus. — Talvez o câncer tenha criado uma cabeça de ponte no cérebro dele.

— Peter — a Lidewij disse, devidamente horrorizada.

Eu também estava horrorizada, mas havia algo de interessante num cara tão vil que se recusava a nos tratar de forma condescendente.

— Temos mesmo algumas perguntas — eu disse. — Falei delas em meu *e-mail*. Não sei se você lembra.

— Não lembro.

— A memória dele está comprometida — a Lidewij disse.

— Se ao menos minha memória se comprometesse... — o Van Houten retrucou.

— Então, nossas perguntas — repeti.

— Ela usa o "nós" da realeza — o Peter falou, para ninguém em particular.

Outro gole. Eu não sabia como era o gosto do uísque, mas se fosse de alguma forma parecido com champanhe, não dava para entender como ele conseguia beber tanto, tão rápido e tão cedo.

— Você conhece o paradoxo da tartaruga de Zenão? — ele perguntou para mim.

— Nossas perguntas têm a ver com o que acontece com os personagens depois do fim do livro, mais especificamente...

— Você presume de forma errônea que eu precise ouvir a sua pergunta para que possa respondê-la. Já ouviu falar de Zenão, o filósofo?

Fiz ligeiramente que não com a cabeça.

— Ai de mim. Zenão era um filósofo pré-socrático que, dizem, elaborou quarenta paradoxos associados à cosmovisão a partir de pensamentos desenvolvidos por Parmênides... de Parmênides você já ouviu falar, naturalmente — ele disse, e eu fiz que sabia quem era Parmênides, mesmo não sabendo. — Graças a Deus! — ele falou. — Zenão se especializou em revelar as imprecisões e simplificações de Parmênides, o que não foi difícil, pois Parmênides estava sempre redondamente enganado em quase tudo. O valor de Parmênides é o mesmo que o do amigo que escolhe o cavalo errado toda vez que você o leva ao hipódromo. Mas o paradoxo mais conhecido de Zenão... Espere um instante... Qual é o seu grau de familiaridade com o *hip-hop* sueco?

Eu não sabia dizer se o Peter Van Houten estava brincando ou não. Depois de um tempo, o Augustus respondeu por mim:

— Limitado.

— Está bem, mas presumo que você conheça o álbum mais influente de Afasi och Filthy intitulado *Fläcken*.

— Não, nós não conhecemos — respondi por nós dois.

— Lidewij, coloque "Bomfalleralla" para tocar imediatamente.

A Lidewij andou até um MP3 *player*, girou um pouquinho o botão circular e apertou uma tecla. Um *rap* começou a reverberar em todas as direções. O som era bastante familiar, exceto por ser cantado em sueco.

Terminou e o Van Houten olhou para nós, na expectativa, seus olhinhos o mais arregalados que conseguiam ficar.

— E então? — perguntou. — Então?
Aí eu falei:
— O senhor deve nos desculpar, mas nós não falamos sueco.
— Bem, é claro que não falam. Eu também não. Quem é que raios fala sueco? O importante não é o que as vozes estão *dizendo*, o que quer que seja, mas o que as vozes estão *sentindo*. Vocês certamente sabem que só existem duas emoções, amor e medo, e que o Afasi och Filthy navega entre elas com o tipo de facilidade que não se encontra no *rap* fora da Suécia. Querem que eu bote para tocar de novo?
— Isso é uma piada? — o Gus perguntou.
— Como assim?
— Isso é algum tipo de *performance*? — Ele olhou para a Lidewij e perguntou: — É isso?
— Creio que não — a Lidewij respondeu. — Ele não é sempre... esse é um jeito incomum...
— Ah, cale a boca, Lidewij. Rudolf Otto disse que se você não tiver vivenciado o numinoso, se não tiver experimentado um encontro irracional com o *mysterium tremendum*, então o livro dele não é para você. E eu lhes digo, jovens amigos, que se não conseguem ouvir a reação corajosa de Afasi och Filthy ao medo, então meu livro não é para vocês.

É preciso que fique bem claro: aquilo era um *rap* absolutamente normal, exceto pela letra em sueco.

— Humm — falei. — Então, o *Uma aflição imperial*. Quando o livro termina, a mãe da Anna está prestes a...

O Van Houten me interrompeu, batendo no copo enquanto falava até a Lidewij enchê-lo de novo.

— Pois bem, Zenão é mais famoso por seu paradoxo da tartaruga. Imaginemos que você esteja participando de uma corrida com uma tartaruga. É dada à tartaruga uma vantagem inicial, em distância, de dez metros. No tempo que você leva para percorrer esses dez metros, a tartaruga talvez se desloque um. E, então, no tempo que você leva para transpor essa distância, a tartaruga vai um pouco mais à frente, e assim por diante. Você é mais rápido que a tartaruga, mas não consegue alcançá-la; só consegue diminuir a distância entre vocês.

"Mas é óbvio que você acaba simplesmente passando pela tartaruga sem ponderar sobre a mecânica envolvida, mas a pergunta de como foi capaz de fazer isso acaba sendo incrivelmente complicada e ninguém tinha achado uma resposta para ela de verdade, até que Cantor demonstrou que alguns infinitos são maiores que outros."

— Humm — murmurei.

— Imagino que isso responda à sua pergunta — ele disse, confiante, e então deu um gole generoso na bebida.

— Não exatamente — falei. — Nós estávamos nos perguntando se, depois do fim do *Uma aflição imperial*...

— Eu renego tudo o que há naquele livro pútrido — o Van Houten disse, me interrompendo.

— Não — retruquei.

— O que foi que você disse?

— Não, isso não é aceitável — falei. — Eu entendo que a história acaba no meio da narrativa porque a Anna morre ou fica doente demais para continuar a escrever, mas você falou que ia nos dizer o que acontece com os outros, e é por isso que estamos aqui, e nós, *eu* preciso que você me diga.

O Van Houten suspirou. Depois de mais um gole, disse:

— Muito bem. Você está curiosa a respeito de quem?

— A mãe da Anna, o Homem das Tulipas Holandês, Sísifo, o *hamster*, quer dizer, é só... o que acontece com todo mundo.

O Van Houten fechou os olhos, inflou as bochechas ao expirar e então olhou para cima, para as vigas de madeira expostas que se entrecruzavam no teto.

— O *hamster* — ele disse, depois de um tempo. — O *hamster* é adotado pela Christine...

Que era uma das amigas da Anna antes de ela ficar doente. Aquilo fazia sentido. A Christine e a Anna brincaram com o Sísifo em algumas cenas.

— Ele é adotado pela Christine e vive alguns anos depois do fim do livro, para então morrer pacificamente durante seu sono de *hamster*.

Agora, sim, estávamos indo a algum lugar.

— Legal — falei. — Legal. Tá, então agora, o Homem das Tulipas Holandês. Ele é um vigarista? A mãe da Anna se casa com ele?

O Van Houten ainda estava olhando para as vigas no teto. Ele tomou mais um gole. O copo já estava quase vazio de novo.

— Lidewij, eu não consigo fazer isso. Não consigo. *Não consigo*. — Ele nivelou o olhar com o meu. — *Nada* acontece com o Homem das Tulipas Holandês. Ele não é um vigarista nem um não-vigarista; ele é *Deus*. Ele é uma representação metafórica óbvia e inequívoca de *Deus*, e perguntar o que acontece com ele é o equivalente intelectual a perguntar o que acontece com os olhos desprovidos de corpo do Dr. T. J. Eckleburg em *Gatsby*. Se ele se casa com a mãe da Anna? Nós estamos falando de um livro, cara criança, não de algum cometimento histórico.

— Tá, mas com certeza você deve ter pensado no que acontece com eles, quer dizer, como personagens, independentemente dos significados metafóricos deles, e tal.

— Eles são ficcionais — ele disse, batendo de novo no copo. — Nada acontece com eles.

— Você falou que ia me dizer — insisti.

Fiz questão de ser assertiva. Eu precisava manter a atenção inebriada dele nas minhas perguntas.

— Talvez, mas eu me encontrava sob a impressão equivocada de que você estava impossibilitada de fazer uma viagem transatlântica. Eu tentei... lhe dar algum consolo, acho, e deveria ter imaginado que a tentativa seria infrutífera. Mas para ser totalmente honesto, essa ideia infantil de que o autor de um livro tem algum *insight* singular sobre seus personagens... é ridícula. Aquele livro foi composto por rabiscos numa página, minha cara. Os personagens que nele habitam não possuem vida fora desses rabiscos. O que *aconteceu* com eles? Todos deixaram de existir no momento em que o livro acabou.

— Não — falei. E me levantei do sofá. — Não, eu entendo isso, mas é impossível não imaginar um futuro para eles. Você é a pessoa mais qualificada para imaginar esse futuro. Alguma coisa aconteceu com a mãe da Anna. Ou ela se casou ou não se casou. Ou ela se mudou para a Holanda com o Homem das Tulipas Holandês ou não se mudou. Ou ela teve mais filhos ou não teve. Eu preciso saber o que acontece com ela.

O Van Houten fez bico.

— Sinto muito não poder satisfazer seus caprichos infantis, mas me recuso a me apiedar de você da forma com a qual está acostumada.

— Eu não quero a sua pena — falei.

— Como toda criança doente — ele retrucou, sem demonstrar qualquer emoção —, você diz que não quer a pena de ninguém, mas a sua existência em si depende dela.

— Peter — a Lidewij falou, mas ele continuou, reclinando-se na cadeira, as palavras saindo ainda mais mastigadas daquela boca bêbada. — Crianças doentes inevitavelmente se tornam prisioneiras: você está fadada a viver o resto dos seus dias como a criança que era ao receber o diagnóstico, a criança que acredita que haja vida depois que um livro acaba. E nós, como adultos, temos pena disso, então pagamos seus tratamentos, suas máquinas de oxigênio. Nós lhes damos comida e água embora seja pouco provável que vocês vivam o suficiente para...

— PETER! — a Lidewij gritou.

— Você é um efeito colateral — o Van Houten continuou — de um processo evolutivo que não dá muita importância a vidas individuais. Você é um experimento malsucedido da mutação.

— EU ME DEMITO! — a Lidewij gritou.

Havia lágrimas nos olhos dela. Mas eu não estava com raiva. Ele havia encontrado um jeito mais doloroso de dizer a verdade, mas, naturalmente, eu já sabia qual era a verdade. Eu tinha passado vários anos olhando do meu leito para o teto da UTI, por isso há tempos já havia achado as maneiras mais dolorosas de imaginar a minha própria doença. Dei um passo na direção dele.

— Ouça aqui, seu idiota — falei —, não há nada que você possa me dizer sobre essa doença que eu já não saiba. Eu só preciso de uma coisa de você antes de sair da sua vida para sempre: O QUE ACONTECE COM A MÃE DA ANNA?

Ele ergueu a papada flácida na minha direção e deu de ombros.

— Não posso dizer o que acontece com ela da mesma forma que não posso dizer que fim levou o narrador de Proust, nem a irmã de Holden Caulfield, nem Huckleberry Finn depois que partiu para os territórios desconhecidos do Oeste.

— BABAQUICE! Isso é uma babaquice. Eu quero saber! Invente alguma coisa!

— Não, e ficarei grato se não proferir palavras de baixo calão na minha casa. Não é um vocabulário apropriado para uma moça.

Eu não estava exatamente com raiva, ainda, apenas bastante concentrada em obter o que me fora prometido. Alguma coisa cresceu dentro de mim, eu me inclinei e dei um soco na mão inchada que segurava o copo de uísque. O que restava da bebida se espalhou pela vastidão do rosto dele, o copo ricocheteou no nariz e depois rodopiou pelo ar, como num balé, aterrissando com um ruído de estilhaços no piso antigo de madeira.

— Lidewij — o Van Houten disse calmamente —, vou tomar um *dry martíni*, se possível. Com um sussurro de vermute apenas.

— Eu me demiti — ela respondeu após um instante.

— Não seja ridícula.

Eu não sabia o que fazer. Ser boazinha não funcionou. Ser grossa não funcionou. Eu precisava de uma resposta. Tinha vindo de longe e chegado até ali depois de roubar o Desejo do Augustus. Eu precisava saber.

— Alguma vez você já parou para se perguntar — ele disse, as palavras começando a sair meio engroladas — por que se importa tanto com seus questionamentos tolos?

— VOCÊ PROMETEU! — gritei, o ruído do choro impotente do Isaac na noite dos troféus destroçados ecoando na minha cabeça.

O Van Houten não respondeu.

Eu ainda estava de pé na frente dele, esperando que me dissesse alguma coisa, quando senti a mão do Augustus no meu braço. Ele me puxou em direção à porta e eu o segui, enquanto o Van Houten discursava para a Lidewij sobre a ingratidão dos adolescentes contemporâneos e sobre o fim da sociedade cortês, e a Lidewij, de um jeito histérico, gritava alguma coisa para ele num holandês acelerado.

— Vocês precisam perdoar a minha ex-assistente — ele falou. — O holandês não é bem um idioma, mas uma enfermidade da garganta.

O Augustus me tirou do cômodo e me puxou porta afora, ao encontro do fim da manhã de primavera e do confete dos olmos em queda.

Não existia, para mim, a possibilidade de uma fuga rápida, mas nós descemos os degraus, o Augustus segurando meu carrinho, e começamos a andar de volta para o Filosoof por uma calçada acidentada de paralelepípedos intercalados. Comecei a chorar pela primeira vez desde o episódio do balanço.

— Ei — ele disse, colocando a mão na minha cintura. — Ei. Está tudo bem.

Eu assenti e enxuguei o rosto com as costas da mão.

— Ele não vale nada.

Assenti de novo.

— Vou escrever um epílogo para você — o Gus falou.

Aquilo me fez chorar ainda mais.

— Vou, sim — ele disse. — Vou mesmo. E vai ser melhor que qualquer coisa que aquele bêbado poderia escrever. O cérebro dele é um queijo suíço. Ele nem se lembra de ter escrito o livro. Eu consigo criar uma história dez vezes melhor que a daquele cara. Vai ter sangue, coragem e sacrifícios. *Uma aflição imperial* encontra *O preço do alvorecer*. Você vai amar.

Eu continuei assentindo, simulando um sorriso, e aí ele me abraçou, os braços fortes me puxando para perto do peito musculoso, e eu ensopei a camisa polo dele, mas consegui me recompor o suficiente para poder falar.

— Eu gastei o seu Desejo com aquele idiota — disse, ainda encostada no peito dele.

— Hazel Grace. Não. Posso admitir que você de fato gastou o meu único Desejo, mas não foi com ele. Você gastou meu Desejo com nós dois.

Escutei, vindo de trás, um *toc toc toc* de saltos altos numa corrida desabalada. Eu me virei. Era a Lidewij, o delineador escorrendo pelas bochechas, claramente constrangida, tentando nos alcançar.

— Talvez devêssemos ir visitar a Anne Frank Huis — a Lidewij disse.

— Não vou a lugar nenhum com aquele monstro — o Augustus disse.

— Ele não foi convidado — a Lidewij falou.

O Augustus continuou me abraçando de um jeito protetor, a mão na lateral do meu rosto.

— Não acho que... — ele começou, mas eu o interrompi.

— Nós deveríamos ir.

Eu ainda queria respostas do Van Houten. Mas isso não era tudo. Eu só teria mais dois dias em Amsterdã com o Augustus Waters. Não deixaria que um velho patético os estragasse.

. . .

O carro da Lidewij era um desajeitado Fiat cinza com um motor estridente como uma garotinha de quatro anos. Conforme percorríamos as ruas de Amsterdã, ela se desculpava repetida e profusamente.

— Sinto muito. Não tem desculpa. Ele está muito mal — ela disse. — Achei que o encontro o ajudaria, se ele visse que o livro tinha tido alguma influência na vida de vocês, mas... Sinto imensamente. Isso é muito, muito constrangedor.

Nem eu nem o Augustus dissemos nada. Eu estava no banco traseiro, bem atrás dele. Enfiei a mão no espaço entre a lateral do carro e o assento dianteiro, tentando achar sua mão, mas não consegui encontrá-la. A Lidewij prosseguiu:

— Eu continuei trabalhando para ele porque o considero um gênio e porque o salário é muito bom, mas ele se transformou num monstro.

— Imagino que tenha ficado muito rico com a venda do livro — falei, depois de um tempo.

— Ah, não, não. Ele é descendente dos Van Houten — ela falou. — No século dezessete, um ancestral dele descobriu como diluir cacau em pó em água. Muito tempo atrás, alguns dos Van Houten imigraram para os Estados Unidos e Peter é filho de um deles, mas se mudou para a Holanda depois da publicação do livro. Ele é uma vergonha para uma nobre família.

O motor do carro esgoelou. A Lidewij trocou a marcha e nós passamos por uma ponte sobre o canal.

— Foram as circunstâncias — ela disse. — Foram as circunstâncias que o tornaram uma pessoa tão cruel. Ele não é um homem mau. Mas, hoje, eu não pensei... quando ele falou aquelas coisas horríveis, não pude acreditar. Sinto muito. Sinto muito, muito mesmo.

. . .

Tivemos de estacionar a um quarteirão da casa da Anne Frank, e enquanto a Lidewij ficava na fila para comprar os ingressos para nós, me sentei com as costas apoiadas numa arvorezinha, olhando para as casas flutuantes atracadas no canal Prinsengracht. O Augustus estava em pé à minha frente, movimentando o carrinho do oxigênio em círculos, olhando as rodinhas girarem. Eu queria que ele se sentasse ao meu lado, mas sabia como era difícil, para ele, se sentar, e mais difícil ainda ficar de pé de novo.

— Tudo bem? — ele perguntou, olhando para mim.

Dei de ombros e estiquei o braço para poder colocar a mão na batata da perna dele. Era a panturrilha falsa, mas segurei firme. Ele abaixou a cabeça para me olhar.

— Eu queria... — falei.

— É, eu sei — ele disse. — Eu sei. Aparentemente, o mundo não é uma fábrica de realização de desejos.

Isso me fez rir um tiquinho.

A Lidewij voltou com os ingressos, mas seus lábios finos estavam franzidos de preocupação.

— Não tem elevador — ela disse. — Sinto muito, muito mesmo.

— Está tudo bem — falei.

— Não. Lá dentro há muitas escadas — ela disse. — E elas são íngremes.

— Está tudo bem — repeti. O Augustus começou a dizer alguma coisa, mas eu o interrompi. — Não tem problema. Eu consigo subir.

A visita começou num cômodo que mostrava um vídeo sobre os judeus na Holanda, sobre a invasão nazista e sobre a família Frank. Depois fomos para o andar de cima, adentrando a casa do canal onde funcionara a empresa do Otto Frank. Subir as escadas era um processo lento, tanto para mim quanto para o Augustus, mas eu me sentia forte. Logo estava olhando a famosa estante de livros que camuflara a entrada para o esconderijo da Anne, da família dela e de quatro outras pessoas. A estante estava aberta até a metade, e por atrás havia uma escada mais íngreme ainda, tão estreita que só cabia uma pessoa por degrau.

Havia vários visitantes à nossa volta, e eu não queria atravancar a procissão, mas a Lidewij falou:

— Se todos puderem ter um pouco de paciência, por favor...

E comecei a subir, a Lidewij carregando o carrinho atrás de mim, o Gus na sequência.

Eram quatorze degraus. Eu só pensava nas pessoas que vinham depois de mim, a maioria adultos falando vários idiomas diferentes, e fiquei com vergonha. Sei lá, eu me sentia como um fantasma que tanto traz consolo quanto assombra, mas consegui chegar ao fim da escada, finalmente, num cômodo sinistramente vazio. Eu me apoiei na parede, meu cérebro dizendo a meus pulmões *está tudo bem está tudo bem fiquem tranquilos está tudo bem* e meus pulmões dizendo ao meu cérebro *ai, meu Deus, nós estamos morrendo aqui*. Nem vi quando o Augustus chegou, mas ele se aproximou de mim esfregando as costas da mão na testa para secá-la, num movimento de *ufa*, e disse:

— Você é uma heroína.

Depois de alguns minutos apoiada na parede, fui até o cômodo seguinte, que a Anne havia dividido com o dentista Fritz Pfeffer. Era minúsculo e sem móveis. Não daria para imaginar que alguém tinha vivido ali não fossem as fotos de revistas e jornais que a Anne havia colado na parede e que lá permaneciam.

Outra escada levava ao cômodo no qual a família Van Pel havia morado, essa mais íngreme que a anterior e com dezoito degraus, basicamente uma escada de mão mais elaborada. Cheguei à base dela, olhei para o alto e achei que não conseguiria subir, mas também sabia que o único caminho para chegar ao fim era subindo.

— Vamos voltar — o Gus disse, atrás de mim.

— Estou bem — respondi baixinho.

Sei que é bobagem, mas eu ficava pensando que *devia* isso a ela, à Anne Frank, digo, porque ela estava morta e eu, não, porque ela havia ficado em silêncio, mantido as cortinas fechadas e feito tudo certo, e ainda assim, tinha morrido. Então eu deveria subir aqueles degraus e ver o resto do mundo no qual ela vivera durante aqueles anos antes da chegada da Gestapo.

Comecei a subir, transpondo os degraus do mesmo jeito que uma criança pequena faria, devagar a princípio, para conseguir respirar, e mais rápido depois, porque eu sabia que no fim das contas não conseguiria respirar, e queria chegar ao topo antes de perder o fôlego de vez. A escuridão invadia o meu campo de visão enquanto eu escalava os dezoito degraus, íngremes como os diabos. Por fim, alcancei o topo basicamente cega e enjoada, os músculos dos braços e das pernas clamando por oxigênio. Larguei meu corpo no chão, sentando com as costas encostadas numa parede, tossindo sofregamente. Havia uma redoma de vidro vazia e aparafusada na parede acima de mim. Olhei para o alto, através dela, para o teto, tentando não desmaiar.

A Lidewij se agachou ao meu lado e falou:

— Você chegou ao último andar, já acabou.

Fiz que sim com a cabeça. Eu tinha uma vaga noção de que havia adultos espalhados pelo ambiente olhando preocupados para mim; da Lidewij falando baixinho numa língua, depois em outra, e então em mais outra para os vários visitantes; do Augustus de pé na minha frente, a mão dele na minha cabeça, acariciando meu cabelo no pedaço em que estava repartido.

Depois de um bom tempo, a Lidewij e o Augustus me colocaram de pé, e pude ver o que estava por trás da redoma de vidro: marcas feitas a lápis no papel de parede e que registravam o crescimento de todas as crianças no anexo secreto durante o período em que viveram ali, centímetro por centímetro, até quando foi interrompido.

Saindo dali, deixamos a área de moradia dos Frank, mas ainda estávamos no museu. Um corredor comprido e estreito exibia fotos de cada um dos oito residentes do anexo e descrevia como, onde e quando haviam morrido.

— O único integrante da família dele a sobreviver à guerra — a Lidewij nos disse, se referindo ao pai da Anne, Otto.

Ela sussurrava, como se estivéssemos numa igreja.

— Mas, na verdade, ele não sobreviveu bem a uma guerra — o Augustus falou. — Ele sobreviveu a um genocídio.

— Verdade — a Lidewij concordou. — Não sei como é possível alguém continuar vivendo sem a família. Não sei mesmo.

Enquanto eu lia a respeito de cada um dos sete que morreu, pensei em Otto Frank deixando de ser pai, ficando com um diário, em vez da esposa e das duas filhas. No fim do corredor, um livro enorme, maior que um dicionário, continha os nomes dos 103 mil holandeses mortos no Holocausto. (Apenas 5 mil dos judeus holandeses deportados, explicava uma plaqueta na parede, haviam sobrevivido. Cinco mil Otto Franks.) O livro estava aberto na página em que havia o nome da Anne Frank, mas o que chamou mesmo a minha atenção foi o fato de que logo abaixo do nome dela tinham quatro Aron Franks. Quatro. Quatro Aron Franks sem museus, sem placas comemorativas, sem ninguém para chorar por eles. Em meu íntimo, resolvi que iria me lembrar dos quatro Aron Franks e rezar por eles enquanto vivesse. (Talvez algumas pessoas precisem acreditar num Deus único e onipotente para o qual rezar, mas eu, não.)

Quando chegamos ao fim do cômodo, o Gus parou e perguntou:

— Você está bem?

Assenti com a cabeça.

Ele fez um gesto indicando a foto da Anne.

— A pior parte é que ela quase escapou, sabe? Ela morreu algumas semanas antes da liberação dos campos de concentração.

A Lidewij se afastou alguns passos para assistir a um vídeo, e eu segurei a mão do Augustus enquanto andávamos para o ambiente seguinte. Era um cômodo de teto triangular com cartas que o Otto Frank havia escrito para algumas pessoas durante sua busca pelas filhas, que durou vários meses. Na parede, no meio do cômodo, um vídeo do Otto estava sendo reproduzido. Ele falava em inglês.

— Sobrou algum nazista que eu possa perseguir e entregar nas mãos da Justiça? — o Augustus perguntou quando nos inclinamos sobre as vitrines da exposição para ler as cartas do Otto e as respostas dilacerantes de que não, ninguém tinha visto as filhas dele depois da liberação.

— Acho que estão todos mortos. Mas não é como se os nazistas tivessem o monopólio do mal.

— Verdade — ele disse. — Eis o que deveríamos fazer, Hazel Grace: nós deveríamos nos unir e virar uma dupla de justiceiros portadores de deficiências botando a boca no trombone pelo mundo, endireitando o que está errado, defendendo os fracos, protegendo quem se sente ameaçado.

Embora aquela fosse a "viagem" do Gus, e não a minha, eu entrei na dele. O Gus já havia entrado na minha, afinal.

— Nosso destemor será nossa arma secreta — falei.

— As lendas das nossas proezas sobreviverão enquanto existir a voz humana — ele disse.

— E, mesmo depois disso, quando os robôs relembrarem os absurdos humanos de sacrifício e compaixão, eles se lembrarão de nós.

— Eles rirão roboticamente da nossa loucura destemida — ele disse. — Mas algo em seus corações de ferro robotizados vai desejar ter vivido e morrido como nós: a serviço do heroísmo.

— Augustus Waters — falei, olhando para ele, pensando que talvez não fosse certo beijar alguém dentro da casa da Anne Frank, mas então imaginando que a Anne Frank, no fim das contas, devia ter beijado alguém na casa da Anne Frank, e que ela provavelmente gostaria de sua casa ter se tornado um lugar no qual os jovens e irremediavelmente imperfeitos se entregam ao amor.

"Devo dizer", o Otto Frank falou no vídeo em seu inglês com sotaque, "que fiquei surpreso com os pensamentos profundos que a Anne tinha."

E então, de repente, estávamos nos beijando. Minha mão largou o carrinho do oxigênio, segurou o pescoço do Gus, enquanto ele me puxou para cima pela cintura, me deixando na ponta dos pés. Quando os lábios semiabertos dele encontraram os meus, comecei a sentir uma falta de ar totalmente inédita e fascinante. O espaço à nossa volta evaporou, e por um estranho momento me senti bem no meu corpo; essa coisa estragada pelo câncer que eu tinha passado vários anos arrastando de um lado para outro parecia, de repente, valer a pena, os tubos no tórax e os PICCs e a incessante traição corporal dos tumores.

"A Anne que eu conhecia como filha era bastante diferente. Ela nunca demonstrou esse tipo de sentimento interior", o Otto Frank continuou.

O beijo durou uma eternidade enquanto o Sr. Frank falava atrás de mim.

"E a minha conclusão, na medida em que eu mantinha boas relações com a Anne, é que a maioria dos pais não conhece de verdade seus filhos."

Eu me dei conta de que meus olhos estavam fechados e os abri. O Augustus me encarava, seus olhos azuis mais próximos que nunca, e atrás dele um grupo de pessoas tinha meio que se organizado em três camadas de círculos à nossa volta. Eles estavam com raiva, pensei. Horrorizados. Esses adolescentes, com seus hormônios, se agarrando debaixo de um vídeo reproduzindo a voz exaurida de um ex-pai.

Eu me afastei do Augustus, e ele tascou um beijo na minha testa enquanto eu olhava fixamente para meus Chuck Taylors.

E foi então que começaram a bater palmas. Todas as pessoas, todos aqueles adultos, simplesmente começaram a bater palmas, e um deles até gritou: "Bravo!", com um sotaque europeu. O Augustus, sorridente, fez uma mesura. Rindo, fiz uma ligeira reverência, o que provocou uma nova rodada de aplausos.

Descemos as escadas depois de deixar todos os adultos passarem, e logo antes de chegarmos ao café (onde, por sorte, um elevador nos levou até o térreo e à lojinha de suvenires) vimos algumas páginas do diário da Anne, além de seu livro de citações ainda inédito, aberto numa página de frases de Shakespeare. *Quem é tão firme que não possa ser seduzido?*, ela escrevera.

A Lidewij nos deu uma carona de volta ao Filosoof. Do lado de fora do hotel estava chuviscando, e o Augustus e eu ficamos parados na calçada de paralelepípedos, nos ensopando aos poucos.

Augustus: "Você deve estar precisando descansar."

Eu: "Estou bem."

Augustus: "Tá." (Pausa.) "Em que você está pensando?"

Eu: "Em você."

Augustus: "O que tem eu?"

Eu: "Não sei mesmo qual preferir, / A beleza das inflexões / Ou a das alusões, / O pássaro-preto assobiando / Ou só depois."

Augustus: "Cara, você é *sexy*."

Eu: "Nós poderíamos ir para o seu quarto."

Augustus: "Já ouvi ideias piores."

Nos esprememos no elevador minúsculo. Todas as superfícies, inclusive o piso, eram cobertas de espelhos. Tivemos de puxar a porta para fechar o elevador, e então aquela coisa velha foi rangendo devagar até o segundo andar. Eu estava cansada, suada e com medo de a minha aparência e o meu cheiro estarem horríveis, mas mesmo assim o beijei dentro daquele cubículo. Aí ele se afastou um pouco, apontou para o espelho e disse:

— Veja: infinitas Hazels.

— Alguns infinitos são maiores que outros — falei pausadamente, imitando o Van Houten.

— Que palhaço! — o Augustus disse, e demorou todo esse tempo, e mais ainda, para chegarmos ao segundo andar.

Por fim, o elevador parou num tranco. O Augustus empurrou a porta espelhada para abri-la. Quando estava metade aberta, ele estremeceu de dor e perdeu a pegada por um segundo.

— Você está bem? — perguntei.

Após um instante, ele respondeu:

— Estou, estou. É só a porta, que é meio pesada, acho.

Ele a empurrou de novo e conseguiu abri-la, me deixando sair primeiro, claro, mas aí eu não soube que direção seguir pelo corredor e fiquei simplesmente ali, do lado de fora, e ele também, seu rosto ainda transfigurado pela dor.

— Está tudo bem com você? — perguntei mais uma vez.

— Só estou fora de forma, Hazel Grace. Está tudo ótimo.

Nós estávamos ali parados e ele não tomava a iniciativa de ir para o quarto nem nada, e eu não sabia onde o quarto ficava, e enquanto durava o impasse me convenci de que ele estava tentando descobrir uma forma de não ficar comigo e de que, para início de conversa, eu nunca deveria ter dado aquela ideia, que a iniciativa não deveria ter sido minha, daí a repugnância dele, que só ficava me olhando, de pé, sem nem piscar, tentando pensar num jeito de se desvencilhar educadamente da situação. E aí, depois do que pareceu ser uma eternidade, ele falou:

— Fica acima do meu joelho, e vai afunilando um pouco, e depois é só pele. Tem uma cicatriz horrenda, mas ela parece...

— O quê? — perguntei.

— A minha perna — ele respondeu. — Só para você se preparar psicologicamente no caso de, quer dizer, no caso de você ver, ou coisa ass...

— Ah, deixe de bobagem — falei, e andei os dois passos necessários para chegar até ele. Dei um beijo no Augustus, intenso, imprensando seu corpo contra a parede, e continuei com o beijo enquanto ele vasculhava o bolso à procura da chave do quarto.

Subimos lentamente na cama, minha liberdade um pouco limitada pelo oxigênio, mas mesmo assim consegui ficar por cima dele e tirar sua camisa. Senti o gosto do suor na pele abaixo da clavícula enquanto sussurrava, a boca encostada nele:

— Augustus Waters, eu te amo.

Seu corpo relaxou debaixo do meu quando ele me ouviu dizer aquilo. Ele esticou o braço e tentou tirar a minha camiseta, mas ela acabou enrolando no tubo. Eu ri.

— Como é que você faz isso todos os dias? — ele perguntou enquanto eu desenrolava as coisas.

Tolamente, me dei conta de que minha calcinha rosa não combinava com meu sutiã roxo, como se os garotos reparassem nisso. Eu me enfiei debaixo das cobertas e tirei a calça *jeans* e as meias, e então fiquei observando a dança do edredom enquanto, debaixo dele, o Augustus tirava primeiro a calça *jeans*, depois a perna.

Estávamos deitados de costas, lado a lado, escondidos sob as cobertas. Depois de um segundo, tateei à procura da coxa dele e deixei minha mão seguir para baixo até o cotoco, a pele com a cicatriz grossa. Segurei o cotoco por um tempo. Ele se encolheu.

— Dói? — perguntei.

— Não — ele respondeu.

Ele se virou de lado e me beijou.

— Você é muito *sexy* — falei, minha mão ainda na perna.

— Estou começando a achar que você tem um fetiche por amputados — ele retrucou, ainda me beijando.

Eu ri.

— Eu tenho um fetiche por Augustus Waters — expliquei.

A coisa toda foi exatamente o oposto do que eu tinha imaginado: devagar, paciente, silenciosa e nem especialmente dolorosa nem especialmente extasiante. Houve alguns problemas relacionados à camisinha, os quais não perdi muito tempo observando. Nenhuma cabeceira foi quebrada. Nada de gritos. Para ser sincera, aquela foi provavelmente a maior quantidade de tempo que passamos juntos sem falar nada.

Só uma coisa seguiu o protocolo: depois que tudo terminou, enquanto eu descansava o rosto no peito dele, ouvindo seu coração bater, o Augustus disse:

— Hazel Grace, não consigo mais manter os olhos abertos. Literalmente.

— Utilização incorreta da literalidade — falei.

— Não — ele disse. — Tão. Cansado.

E virou o rosto para o outro lado, minha orelha apertada contra o peito dele, ouvindo o ruído dos pulmões enquanto entravam no ritmo do sono.

Depois de um tempo me levantei, me vesti, achei um papel de carta do Hotel Filosoof e escrevi um bilhete de amor para ele:

Querido Augustus,

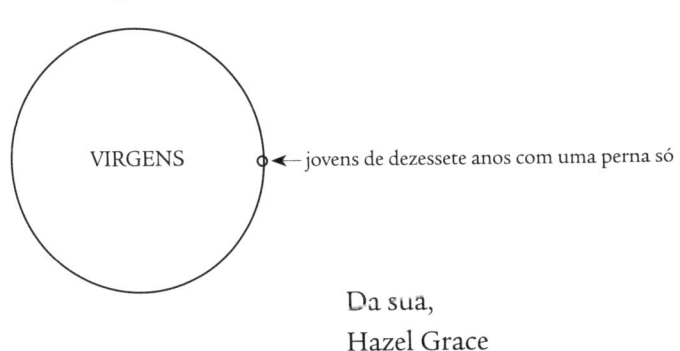

VIRGENS ←— jovens de dezessete anos com uma perna só

Da sua,
Hazel Grace

CAPÍTULO TREZE

Na manhã seguinte, nosso último dia inteiro em Amsterdã, mamãe, Augustus e eu andamos o meio quarteirão entre o hotel e o Vondelpark, onde descobrimos um café à sombra do Museu do Cinema Holandês. Tomando *lattes* — que, nos disse o garçom, eram chamados pelos holandeses de "café estragado" porque tinham mais leite que café —, nos sentamos à sombra rendada de uma castanheira enorme e contamos à mamãe como foi nosso encontro com o grande Peter Van Houten. Demos um tom engraçado à história. Até onde eu sei, você pode escolher a forma de contar uma história triste nesse mundo, e nós fomos pela opção divertida: o Augustus, afundado na cadeira do café, fingiu ser um Van Houten de língua presa e fala engrolada que nem sequer conseguia levantar da poltrona; eu fiquei de pé para representar a minha versão arrogante e machona, gritando:

— Levante-se, velho gordo e feio!

— Você chamou o Van Houten de feio? — o Augustus perguntou.

— Continue, Gus — falei para ele.

— Nau sou feiu. Você é que é feia, garota do nariz entubado.

— Você é um covarde! — gritei, e o Augustus caiu na gargalhada, saindo do personagem.

Eu me sentei. Contamos para a mamãe da ida à casa da Anne Frank, deixando de fora a parte do beijo.

— Vocês voltaram à casa do Van Houten depois? — a mamãe perguntou.

O Augustus não me deu nem tempo de ficar vermelha.

— Não, nós só ficamos jogando conversa fora num café. E a Hazel desenhou um diagrama de Venn muito bem-humorado para mim.

Ele me olhou. Cara, como ele era *sexy*.

— Parece que foi legal — ela disse. — Bem, vou andar por aí agora. E dar um tempo para vocês conversarem. — Ela olhou para o Gus de um jeito meio incisivo. — Então depois, talvez, nós possamos fazer um passeio de barco pelo canal.

— Ahn, o.k.? — falei.

A mamãe deixou uma nota de cinco euros debaixo do pires, deu um beijo na minha cabeça e sussurrou:

— Eu te amo amo amo.

O que eram dois amos a mais que o normal.

O Gus apontou para as sombras dos galhos se entrecruzando e depois se separando no cimento.

— Lindo, né?

— É — respondi.

— Uma metáfora das boas — ele balbuciou.

— É mesmo? — perguntei.

— A imagem em negativo de coisas sendo unidas pelo vento e depois indo pelos ares — ele falou.

Diante de nós, centenas de pessoas passavam, correndo, andando de bicicleta e de patins. Amsterdã era uma cidade projetada para movimentação e atividades, uma cidade que preferia não viajar de carro, por isso me senti inevitavelmente excluída. Mas, cara, como era linda, o riacho esculpindo um caminho em volta de uma árvore imensa, uma garça-real imóvel à beira d'água, tentando encontrar algo para comer no meio daqueles milhões de pétalas de olmo flutuando. Mas o Augustus não reparou naquilo. Ele estava muito ocupado observando as sombras se moverem. Por fim, falou:

— Eu poderia ficar o dia todo aqui olhando isso, mas precisamos voltar para o hotel.

— Será que teremos tempo? — perguntei.

Ele abriu um sorriso triste.

— Quem me dera — respondeu.

— Qual é o problema? — perguntei.

Ele fez um movimento com a cabeça em direção ao hotel.

Andamos em silêncio, o Augustus meio passo à minha frente. Meu medo era tanto que eu não conseguia nem perguntar se tinha motivo para ficar com medo.

Aí existe esse troço chamado Hierarquia de Necessidades de Maslow. Basicamente, um cara chamado Abraham Maslow ficou famoso por sua teoria, que defende que certas necessidades devem ser satisfeitas antes mesmo que se possa ter outros tipos de necessidades. A teoria é representada mais ou menos assim:

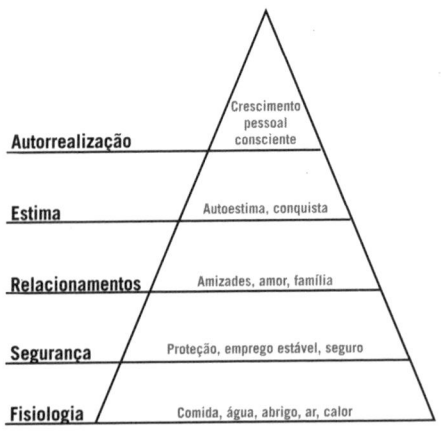

```
                    /\
                   /  \
                  /Cres-\
                 /cimento\
   Autorrealização pessoal
                /consciente\
               /_____\
              /              \
       Estima / Autoestima,   \
            /   conquista      \
           /_____\
          /                      \
Relacionamentos  Amizades, amor,  \
        /           família        \
       /_____\
      /                              \
Segurança  Proteção, emprego estável, \
    /              seguro              \
   /_____\
  /                                      \
Fisiologia   Comida, água, abrigo, ar, calor\
/_____\
```

HIERARQUIA DE NECESSIDADES DE MASLOW

Logo que suas necessidades de comida e água são atendidas, você passa ao conjunto de necessidades seguinte, que tem a ver com segurança, e então vai para o próximo, e depois para o outro, mas o importante é que, de acordo com Maslow, até que suas necessidades fisiológicas sejam satisfeitas, você não tem nem mesmo como chegar a se preocupar com a necessidade de segurança ou de relacionamentos, quanto mais com a "autorrealização", que é quando você começa a, tipo, fazer arte e pensar nos princípios morais, na física quântica e em coisas assim.

Segundo Maslow, eu estava empacada no segundo nível da pirâmide, incapaz de sentir segurança na minha saúde e, portanto, incapaz de tentar ir atrás de amor, de respeito, de arte e de mais nada, o que, obviamente, era uma bobagem sem tamanho: o desejo de fazer arte ou de filosofar não desaparece quando alguém está doente. Esses desejos só ficam transfigurados pela doença.

A pirâmide de Maslow parecia sugerir que eu era menos humana que os outros, e a maioria das pessoas parecia concordar com ele. Mas não o Augustus. Sempre achei que ele poderia me amar porque já esteve doente um dia. Só então me ocorreu que talvez ele ainda estivesse.

Chegamos ao meu quarto, o Kierkegaard. Eu me sentei na cama esperando que o Gus fosse se juntar a mim, mas ele afundou na cadeira Paisley empoeirada. Aquela cadeira. Quantos anos tinha aquilo? Uns cinquenta?

Senti o nó na garganta apertando enquanto o via tirar um cigarro do maço e colocá-lo nos lábios. Ele se recostou e suspirou.

— Um pouco antes de você ir parar na UTI, comecei a sentir uma dor no quadril.

— Não — falei.

O pânico me invadiu e me arrastou para as profundezas. Ele fez que sim com a cabeça.

— Então fui ao hospital fazer uma tomografia.

Ele parou. Tirou o cigarro da boca e trincou os dentes. Passei a maior parte da minha vida tentando não chorar na frente das pessoas que me amavam, por isso sabia o que o Augustus estava fazendo. Você trinca os dentes. Você olha para cima. Você diz a si mesmo que se eles o virem chorando, aquilo vai magoá-los, e você não vai ser nada mais que Uma Tristeza na vida deles. Você não deve se transformar numa mera tristeza, então não vai chorar, e você diz tudo isso para si mesmo enquanto olha para o teto. Aí engole em seco, mesmo que sua garganta não queira, olha para a pessoa que ama você e sorri.

Ele abriu o sorriso torto e disse:

— Eu acendi como uma árvore de Natal, Hazel Grace. Dentro do tórax, o lado esquerdo do meu quadril, meu fígado, tudo.

Tudo. Aquela palavra ficou suspensa no ar por um tempo. Ambos sabíamos o que significava. Eu me levantei, arrastando meu corpo e o carrinho pelo tapete que era mais velho do que o Augustus jamais seria, me ajoelhei nos pés da cadeira, coloquei minha cabeça no colo dele e abracei sua cintura.

Ele começou a passar a mão no meu cabelo.

— Sinto muito — falei.

— Foi mal eu não ter dito nada para você — ele disse, o tom de voz manso. — Sua mãe deve saber. O jeito como olhou para mim. Minha mãe deve ter contado para ela, ou algo assim. Eu deveria ter contado para você. Foi burrice minha. Egoísmo.

É claro que eu sabia por que o Gus não tinha dito nada: pelo mesmo motivo que não deixei que ele me visse na UTI. Eu não tinha o direito de ficar chateada com ele nem por um instante, e só agora que eu amava uma granada foi que entendi a bobagem que é tentar salvar os outros da minha própria explosão iminente: eu não podia deixar de amar o Augustus Waters. E não queria fazer isso.

— Não é justo — falei. — É tudo tão injusto...

— O mundo não é uma fábrica de realização de desejos — ele retrucou, e então perdeu o controle, só por alguns instantes, seu choro e seus soluços ruídos impotentes como o estrondo de um trovão sem raio, a ferocidade tremenda que os amadores no quesito sofrimento podem tomar erradamente por fraqueza.

Aí ele me puxou mais para perto e, com o rosto a poucos centímetros do meu, decidiu:

— Eu vou lutar contra o câncer. Vou lutar contra o câncer por você. Não se preocupe comigo, Hazel Grace. Estou bem. Vou achar um jeito de continuar por aqui e encher o seu saco por um bom tempo.

Comecei a chorar. Mas mesmo naquele momento ele parecia forte, me dando um abraço apertado para que eu pudesse ver os músculos vigorosos de seus braços em torno de mim quando disse:

— Sinto muito. Você vai ficar bem. Tudo vai ficar bem. Prometo. — Ele abriu aquele sorriso torto, me deu um beijo na testa, e senti seu tórax poderoso esvaziar só um tiquinho. — Acho que eu tinha uma *hamartia*, no fim das contas.

Depois de um tempo eu o puxei até a cama e nós ficamos deitados lá, juntinhos, enquanto ele me contava que havia começado um tratamento paliativo com quimioterapia, mas que tinha desistido de tudo para ir a Amsterdã, mesmo isso tendo deixado seus pais furiosos. Os dois continuaram tentando impedi-lo de viajar até aquela manhã, quando o ouvi gritando que seu corpo lhe pertencia.

— Nós poderíamos ter adiado a viagem — falei.

— Não, não poderíamos — ele retrucou. — De qualquer forma, não estava dando resultado. Dava para sentir que não estava dando certo, sabe?

Assenti com a cabeça.

— É uma perda de tempo, a coisa toda — falei.

— Eles vão tentar algo novo quando eu voltar para casa. Eles sempre têm uma ideia nova.

— É — falei, eu mesma já tendo sido a almofada de alfinetes experimental.

— Eu meio que enganei você, levando você a acreditar que estava se apaixonando por uma pessoa saudável — ele falou.

Dei de ombros.

— Eu teria feito o mesmo.

— Não, não teria, mas não dá para todo mundo ser tão incrível como você.

Ele me beijou, e então fez uma careta.

— Dói? — perguntei.

— Não. É só que. — Ele ficou olhando para o teto por um bom tempo antes de dizer: — Eu gosto deste mundo. Gosto de beber champanhe. Gosto de não fumar. Gosto do som de holandeses falando holandês. E agora... Não vou ter nem a chance da batalha. Não vou ter nem a chance da luta.

— Você pode batalhar contra o câncer — falei. — Essa é a sua batalha. E você vai continuar lutando — disse para ele. Odiava quando as pessoas tentavam me encorajar para me preparar para a batalha, mas fiz isso com ele mesmo assim. — Você vai... você vai... viver o melhor da sua vida hoje. Essa é a sua guerra agora.

Eu me odiei por aquele sentimento brega, mas o que mais eu tinha?

— Grande guerra — ele disse com desdém. — Estou em guerra contra o quê? O meu câncer. E o que é o meu câncer? Meu câncer sou eu. Os tumores são feitos de mim. Eles são feitos de mim tanto quanto meu cérebro e meu coração são feitos de mim. É uma guerra civil, Hazel Grace, a gente já sabe quem vai vencer.

— Gus.

Não havia mais nada que eu pudesse dizer. Ele era inteligente demais para o tipo de consolo que eu poderia oferecer.

— Está tudo bem. — Mas não estava, e depois de alguns instantes ele disse: — Se você for ao Rijksmuseum, o que eu realmente gostaria de fazer, mas, a quem estamos querendo enganar? Nenhum de nós consegue passar horas andando num museu. Bem, de qualquer forma, dei uma olhada na coleção de pinturas deles pela Internet, antes de virmos. Se você fosse lá, e espero que um dia consiga ir, veria várias pinturas de pessoas mortas. Veria Jesus na cruz, um cara sendo esfaqueado no pescoço, pessoas morrendo no mar, outras numa batalha, e um desfile de mártires. Mas nem. Uma. Criança. Com. Câncer. Sequer. Ninguém batendo as botas por causa da praga, nem da varíola, nem da febre amarela, nem nada, porque não existe glória na doença. Não há propósito nela. Não há honra em se morrer *de*.

Abraham Maslow, apresento a você o Augustus Waters, cuja curiosidade existencial superou a de seus irmãos bem-alimentados, bem-amados e saudáveis. Enquanto a massa de homens seguia em frente levando vidas totalmente inescrutáveis de consumo descabido, o Augustus Waters examinava a coleção de pinturas do Rijksmuseum a distância.

— O que foi? — o Augustus perguntou após um tempo.

— Nada — respondi. — Só... — Não pude completar a frase. Não sabia como. — Só gosto muito demais da conta de você.

Ele deu um sorriso torto, o nariz a centímetros do meu.

— A recíproca é verdadeira. Será que daria para você esquecer isso tudo e me tratar como se eu não estivesse morrendo?

— Não acho que você esteja morrendo — falei. — Só acho que você recebeu uma pitada de câncer.

Ele sorriu. Humor negro.

— Estou numa montanha-russa que só vai para cima — falou.

— E é meu privilégio e minha responsabilidade seguir nessa montanha-russa até o topo com você — retruquei.

— Seria totalmente absurdo tentar fazer amor agora?

— Tentativa não há — falei. — Fazer é que há.

CAPÍTULO QUATORZE

No voo de volta para casa, vinte mil pés acima de nuvens que pairavam a dez mil pés do chão, o Gus disse:

— Antigamente eu imaginava que seria divertido morar numa nuvem.

— É — falei. — Como se fosse, tipo, um pula-pula inflável, só que para sempre.

— Mas, então, na aula de ciências do ensino fundamental, o Sr. Martinez perguntou quem de nós já havia fantasiado em morar nas nuvens, e todo mundo levantou a mão. Aí o Sr. Martinez nos contou que a velocidade do vento nas nuvens é de duzentos e quarenta quilômetros por hora, que a temperatura gira em torno de trinta graus negativos, que nelas não há oxigênio e que todos morreríamos em poucos segundos.

— Ele parece um cara legal.

— Só digo uma coisa: ele era especialista em arruinar sonhos, Hazel Grace. Você acha que os vulcões são incríveis? Diga isso aos dez mil cadáveres berrando em Pompeia. Lá no fundo você ainda acredita que haja uma aura de mágica neste mundo? São apenas moléculas desalmadas colidindo umas com as outras aleatoriamente. Você se preocupa com quem vai

cuidar de você se seus pais morrerem? Pois deveria mesmo, porque eles virarão comida de verme na completude do tempo.
— A ignorância é uma bênção — falei.
Uma comissária de bordo cruzava o corredor empurrando o carrinho de bebidas, sussurrando:
— Bebida? Bebida? Bebida? Bebida?
O Gus inclinou o corpo por cima de mim, levantando a mão.
— Será que você poderia nos servir champanhe?
— Vocês têm vinte e um anos? — ela perguntou, meio desconfiada. Ajeitei o cateter no nariz de um jeito que ela visse. A comissária sorriu, e então olhou para a minha mãe, que dormia. — Ela não vai achar ruim?
— Nem um pouquinho — respondi.
Então ela serviu um pouco de champanhe em dois copos de plástico. Privilégios do Câncer.
O Gus e eu fizemos um brinde.
— A você — ele disse.
— A você — falei, encostando meu copo no dele.
Tomamos um gole. Estrelas não tão perceptíveis quando comparadas às que tomamos no Oranjee, mas ainda assim boas o bastante para serem apreciadas.
— Sabe — o Gus disse para mim —, tudo o que o Van Houten falou era verdade.
— Talvez, mas ele não precisava ter sido um idiota tão completo. Não acredito que ele imaginou um futuro para Sísifo, o *hamster*, mas não para a mãe da Anna.
O Augustus deu de ombros. E pareceu sair do ar de repente.
— Você está bem? — perguntei.
Ele balançou a cabeça num movimento microscópico.
— Dói — ele disse.
— O peito?
Ele assentiu. Punhos cerrados. Um tempo depois, ele descreveu aquela dor como sendo a de um homem de uma perna

só, calçado com um salto agulha, de pé no meio do tórax dele. Retornei minha bandeja à posição vertical e me inclinei para a frente a fim de procurar analgésicos na mochila dele. Ele tomou um comprimido com champanhe.

— Tudo bem? — perguntei de novo.

O Gus ficou só sentado ali, abrindo e fechando o punho, esperando que o analgésico fizesse efeito, o remédio que não acabava bem com a dor, apenas distanciava o Gus dela (e de mim).

— Parecia que era pessoal — o Gus disse, baixinho. — Como se ele estivesse com raiva de nós dois por algum motivo. O Van Houten, digo.

Ele bebeu o resto do champanhe de uma vez só e logo pegou no sono.

Meu pai estava esperando por nós na área de desembarque, em meio aos motoristas de limusine de terno que seguravam placas com os sobrenomes de seus passageiros: JOHNSON, BARRINGTON, CARMICHAEL. Papai tinha a própria placa. MINHA FAMÍLIA LINDA, dizia, e logo abaixo: (E GUS).

Abracei o papai e ele começou a chorar (claro). Na volta de carro para casa, o Gus e eu lhe contamos as histórias de Amsterdã, mas só depois que eu já estava em casa, conectada ao Felipe, assistindo aos bons e velhos programas de televisão norte-americanos com o papai e comendo *pizza* norte-americana com guardanapos no colo, foi que contei a ele do Gus.

— Gus teve uma recorrência — falei.

— Eu sei — ele disse. Chegou mais para perto de mim e acrescentou: — A mãe dele nos contou antes da viagem. Sinto muito por ele ter escondido isso de você. Eu... Eu sinto muito, Hazel. — E não disse mais nada por um bom tempo.

O programa que estávamos vendo era sobre pessoas que tentam escolher que casa vão comprar.

— Eu li o *Uma aflição imperial* enquanto vocês estavam viajando — o papai disse.

Virei a cabeça na direção dele.

— Ah, que legal. E o que achou?

— Achei bom. Um pouco demais para a minha cabeça. Eu me formei em bioquímica, se você bem se lembra, não em literatura. Realmente acho que a história deveria ter tido um fim.

— É — falei. — Essa é uma reclamação recorrente.

— Além do mais, o livro era um pouco pessimista — ele disse. — Um pouco derrotista.

— Se com derrotista você quer dizer *honesto*, então concordo com você.

— Não acho que o derrotismo tenha a ver com honestidade — o papai retrucou. — Eu me recuso a aceitar isso.

— Então tudo acontece por uma razão e nós todos vamos viver nas nuvens e tocar harpa e morar em mansões celestiais?

Ele sorriu. E me envolveu com seu braço comprido e me puxou mais para perto, dando um beijo na lateral da minha cabeça.

— Não sei no que eu acredito, Hazel. Eu achava que ser adulto significava saber em que você acredita, mas não tem sido bem assim para mim.

— É — falei. — Tudo bem.

Ele me disse de novo que sentia muito pelo Gus, e nós continuamos a ver o programa. As pessoas escolheram uma casa, o papai com o braço ainda em volta de mim, e eu meio que comecei a pegar no sono, mas não queria dormir ainda. Então, papai disse:

— Você sabe em que eu acredito? Eu me lembro de quando estava na faculdade, durante uma aula de matemática, uma aula de matemática realmente fantástica dada por uma professora idosa e baixinha. Ela falava das transformações rápidas de Fourier, mas parou no meio de uma frase e disse: "Às vezes parece que o universo quer ser notado." É nisso que eu acredito. Acredito que o universo quer ser notado. Acho que o universo é, questionavelmente, tendencioso para a consciência, que premia a inteligência em parte porque gosta que sua elegância seja observada. E quem sou eu, vivendo no meio da história, para dizer ao universo que ele, ou a minha observação dele, é temporária?

— Você é razoavelmente inteligente — falei, depois de um tempo.

— Você é razoavelmente boa com elogios — ele retrucou.

No dia seguinte à tarde, fui de carro até a casa do Gus e lanchei sanduíches de manteiga de amendoim e geleia com os pais dele. Contei as histórias de Amsterdã enquanto o Gus cochilava no sofá da sala de estar, onde tínhamos assistido ao *V de Vingança*. Dava para vê-lo da cozinha: deitado de costas, o rosto virado para o outro lado, um PICC já em ação. Eles estavam atacando o câncer com um novo coquetel: duas substâncias quimioterápicas e um receptor de proteína que, eles esperavam, desligaria o oncogene no câncer do Gus. Ele teve sorte de conseguir participar do experimento, me disseram. Sorte. Eu já conhecia uma daquelas substâncias. Só de ouvir o nome dela fiquei com vontade de vomitar.

Depois de um tempo, a mãe do Isaac o levou para visitar o Gus.

— Oi, Isaac, sou eu, a Hazel, do Grupo de Apoio, e não a sua ex-namorada do mal.

A mãe do Isaac o guiou até mim, eu levantei da cadeira da mesa de jantar e o abracei, o corpo dele levando alguns instantes para me encontrar antes de me abraçar de verdade, um abraço forte.

— Como foi lá em Amsterdã? — ele perguntou.

— Incrível — respondi.

— Waters — ele falou. — Cadê você, irmão?

— Ele está tirando um cochilo — eu disse, e minha garganta travou.

O Isaac balançou a cabeça, o restante de nós permaneceu sem silêncio.

— Que droga! — o Isaac falou depois de um segundo.

A mãe dele o levou até uma cadeira que ela havia puxado. Ele se sentou.

— Eu ainda consigo mandar no seu traseiro cego no *Counterinsurgence* — o Augustus disse sem se virar para nós.

O remédio deixava a fala dele um pouco lenta, mas aquela velocidade equivalia à de uma pessoa normal.

— Eu tenho quase certeza de que todos os traseiros são cegos — o Isaac respondeu, estendendo a mão no ar sem rumo, procurando a mãe.

Ela o segurou, ajudou-o a se levantar e eles andaram juntos até o sofá, onde o Gus e o Isaac deram um abraço meio sem jeito.

— Como está se sentindo? — o Isaac perguntou.

— Tudo tem gosto de moeda. Fora isso, estou numa montanha-russa que só vai para cima, garoto — o Gus respondeu. O Isaac riu. — Como estão seus olhos?

— Ah, excelentes — ele disse. — Quer dizer, o fato de não estarem no meu rosto é o único problema.

— Maravilha — o Gus falou. — Não é que eu queira ser melhor que você nem nada, mas meu corpo é feito de câncer.

— Pois é, ouvi dizer — o Isaac falou, tentando não deixar que aquilo o afetasse.

Tateou à procura da mão do Gus mas só achou a coxa dele.

— Estou tomado — disse o Gus.

A mãe do Isaac pegou duas cadeiras, e o Isaac e eu nos sentamos perto do Gus. Peguei a mão do Gus e fiquei fazendo carinho no espaço entre o polegar e o indicador, em círculos.

Os adultos foram todos para o porão a fim de se lamentar ou coisa do gênero, deixando nós três sozinhos na sala de estar.

Depois de um tempo, o Augustus virou a cabeça para nós, o despertar lento.

— Como está a Monica? — ele perguntou.

— Não deu nenhuma notícia — o Isaac respondeu. — Nenhum cartão; nenhum *e-mail*. Eu tenho uma máquina que lê meus *e-mails* para mim. É muito maneira. Dá para alterar o tipo de voz, de homem ou de mulher, além do sotaque, e tal.

— Então eu posso, tipo, mandar um texto pornô e você consegue fazer um velho alemão ler?

— Exatamente — o Isaac disse. — O único problema é que a mamãe ainda precisa me ajudar com a máquina, então talvez seja melhor segurar a onda da pornografia alemã por uma ou duas semanas.

— Ela nem mandou, tipo, um torpedo para perguntar como está indo? — questionei.

Aquilo me pareceu uma injustiça sem precedentes.

— Silêncio de rádio total — o Isaac disse.

— Ridículo — falei.

— Já parei de pensar nisso. Não tenho tempo para namoradas. Arranjei um emprego de expediente integral Aprendendo a Ser Cego.

O Gus virou de novo a cabeça para o outro lado e ficou olhando, pela janela, para o terraço no quintal da casa. Seus olhos se fecharam.

O Isaac perguntou como eu estava, respondi que bem, e ele me contou que havia uma garota nova no Grupo de Apoio com uma voz bastante sensual e que ele precisava que eu fosse lá para confirmar se ela era mesmo sensual. Aí, do nada, o Augustus disse:

— Você não pode simplesmente não falar com seu ex-namorado depois de os olhos dele terem sido arrancados do raio do rosto dele.

— Apenas um dos.... — o Isaac começou.

— Hazel Grace, você tem quatro dólares? — o Gus perguntou.
— Humm — falei. — Tenho.
— Excelente. Você vai encontrar minha perna debaixo da mesa de café — ele falou.

O Gus empurrou o corpo para cima, se sentando, e chegou para a beirada do sofá. Entreguei para ele a prótese; ele a acoplou quase em câmera lenta.

Ajudei o Gus a ficar de pé e ofereci o braço ao Isaac, e fui guiando ele na transposição dos móveis que, de repente, pareciam estar todos no meio do caminho — e percebi que, pela primeira vez em vários anos, eu era a pessoa mais saudável no ambiente.

Eu dirigi. O Augustus foi no banco do carona. O Isaac, no banco de trás. Paramos numa loja de conveniência onde, seguindo instruções expressas do Augustus, comprei uma dúzia de ovos enquanto ele e o Isaac esperavam no carro. E então o Isaac nos guiou, usando a memória, até a casa da Monica, uma casa de dois andares excessivamente estéril perto do Centro da Comunidade Judaica. O Pontiac Firebird verde-esmeralda da década de 1990, com suas rodas largas, estava parado na entrada de veículos.

— O carro dela está aí? — o Isaac perguntou quando sentiu que eu estava freando para parar.

— Ah, se está — o Augustus disse. — Você sabe com o que ele se parece, Isaac? Ele se parece com todas as esperanças que fomos tolos em alimentar.

— Então ela está lá dentro?

O Gus virou a cabeça lentamente a fim de olhar para o Isaac.

— Quem se importa com onde ela está? Isso não tem nada a ver com ela. Isso tem a ver com *você*.

O Gus segurou a caixa de ovos no colo, abriu a porta e puxou as pernas para fora, para a rua. Ele abriu a porta para o Isaac, e eu fiquei olhando pelo retrovisor enquanto o Gus o ajudava a sair do carro, os dois se apoiando um no outro na linha do ombro, o resto do corpo mais afastado, como se fossem duas mãos em oração sem que as palmas se encostassem.

Abaixei o vidro e fiquei assistindo a tudo do carro, porque vandalismo me deixava nervosa. Eles deram alguns passos em direção ao carro da Monica, e então o Gus abriu a caixa de ovos e entregou um para o amigo. O Isaac o atirou, errando o carro por uns bons doze metros.

— Um pouco para a esquerda — o Gus disse.

— Meu lançamento foi um pouco para a esquerda ou eu preciso mirar um pouco para a esquerda?

— Mire para a esquerda. — O Isaac girou os ombros. — Mais para a esquerda — o Gus disse. O Isaac girou de novo. — Isso. Excelente. Agora atire com vontade.

O Gus deu a ele outro ovo, que o Isaac atirou, fazendo um arco sobre o carro e se estraçalhando no telhado em declive da casa.

— No alvo! — o Gus disse.

— Sério? — o Isaac perguntou, empolgado.

— Não, você atirou o ovo uns seis metros acima do carro. Atire com vontade, só que mais para baixo. E um pouco mais à direita de onde você estava da última vez.

O Isaac esticou a mão e pegou sozinho um ovo da caixa que o Gus segurava. Ele o atirou, acertando a lanterna traseira.

— Isso! — o Gus disse. — Isso! Lanterna!

O Isaac pegou outro ovo, errou um bocado para a direita, depois outro, errando para baixo, e então mais um, acertando o para-brisa traseiro. E aí emplacou três ovos seguidos na mala do carro.

— Hazel Grace — o Gus gritou para trás. — Tire uma foto para que o Isaac possa ver isso quando inventarem olhos robóticos.

Ergui o corpo e me sentei na janela com o vidro abaixado, meus cotovelos no teto do carro, e tirei uma foto com o celular:

o Augustus, o cigarro apagado na boca, seu sorriso deliciosamente torto, segurando a caixa de ovos cor-de-rosa basicamente vazia no alto da cabeça. Seu outro braço nos ombros do Isaac, cujos óculos escuros não estão exatamente virados para a câmera. Atrás deles, gemas de ovo escorrem pelo para-brisa e pelo para-choque do Firebird verde. E atrás de tudo, uma porta que se abre.

— O que — perguntou a mulher de meia-idade um segundo depois de eu tirar a foto —, em nome de Jesus... — E então parou de falar.

— Senhora — o Augustus disse, balançando a cabeça e olhando para ela —, o carro da sua filha acabou de ser merecidamente coberto de ovos por um cego. Feche a porta, por favor, e volte para dentro de casa, senão seremos forçados a chamar a polícia.

Depois de hesitar por alguns instantes, a mãe da Monica fechou a porta e desapareceu. O Isaac atirou os últimos três ovos um atrás do outro e o Gus o guiou de volta ao carro.

— Viu, Isaac, se você simplesmente tirar... estamos chegando perto do meio-fio agora... deles a sensação de legitimidade, se você inverter as coisas para que achem que são *eles* que estão cometendo um crime só de ver... só mais alguns passos... os carros sendo cobertos de ovos, eles ficarão confusos, assustados e com medo, e simplesmente voltarão... a maçaneta da porta está bem à sua frente... à vida tediosa deles.

O Gus passou apressado pela frente do carro e se aboletou no banco do carona. As portas se fecharam e eu acelerei, dirigindo várias dezenas de metros antes de me dar conta de que tinha ido na direção de uma rua sem saída. Fiz a volta no *cul-de-sac* e passei voada pela casa da Monica.

Nunca mais tirei outra foto dele.

CAPÍTULO QUINZE

Alguns dias depois, na casa do Gus, os pais dele, os meus pais, o Gus e eu estávamos todos espremidos à mesa de jantar, comendo pimentões recheados sobre uma toalha que, de acordo com o pai do Gus, tinha sido usada pela última vez no século passado.

Meu pai: "Emily, este risoto..."
Minha mãe: "Está uma delícia."
Mãe do Gus: "Ah, obrigada. Terei o maior prazer em dar a receita para você."
Gus, engolindo uma garfada: "Sabe, o gosto que estou sentindo é não Oranjee."
Eu: "Bem observado, Gus. Esta comida, mesmo deliciosa, não tem o mesmo gosto da comida do Oranjee."
Minha mãe: "Hazel."
Gus: "Tem gosto de..."
Eu: "Comida."
Gus: "É, exatamente. Tem gosto de comida, muito bem preparada. Mas o gosto não parece... como posso dizer isso de um jeito delicado...?"
Eu: "Não parece que Deus, em pessoa, preparou o paraíso numa série de cinco pratos, os quais lhe foram servidos acom-

panhados de várias bolhas luminosas de plasma fermentado e espumante, enquanto pétalas de flores verdadeiras e literais flutuavam por toda a superfície do canal ao lado da sua mesa de jantar."
Gus: "Bem colocado."
Pai do Gus: "Nossos filhos são estranhos."
Meu pai: "Bem colocado."

Uma semana depois do nosso jantar, o Gus foi parar na Emergência com dores no peito e acabou sendo internado no meio da noite. Fui de carro até o Memorial na manhã seguinte e o visitei no quarto andar. Eu não ia ao Memorial desde a visita ao Isaac. Ali não havia nenhuma parede pintada com cores exageradamente vivas nem as pinturas emolduradas de cães ao volante de veículos que se via no Hospital Pediátrico, mas a esterilidade completa do lugar me fez sentir saudade daquela aura boba de "criança feliz". O Memorial era tão *funcional*... Era tipo um depósito. Um prematório.

Quando as portas do elevador se abriram no quarto andar, vi a mãe do Gus andando de um lado para outro na sala de espera, falando ao celular. Ela desligou rapidamente e me abraçou, se oferecendo para carregar meu carrinho.

— Não precisa, obrigada — falei. — Como está o Gus?

— Ele teve uma noite ruim, Hazel — ela respondeu. — O coração dele está sobrecarregado. O Gus precisa diminuir o ritmo. Daqui para a frente é só cadeira de rodas. Ele está sendo medicado com uma substância nova que deve funcionar melhor no combate à dor. As irmãs dele acabaram de parar o carro no estacionamento.

— Tá — falei. — Posso ver o Gus?

Ela colocou o braço no meu ombro e apertou-o com a mão. A sensação foi esquisita.

— Você sabe que nós a amamos, Hazel, mas nesse momento precisamos ficar apenas em família. O Gus concorda com isso. Tudo bem?

— Tudo — respondi.

— Vou dizer a ele que você esteve aqui.

— Tá — falei. — Só vou ficar por aí lendo um pouco, acho.

Ela andou até o fim do corredor, de volta ao lugar onde ele estava. Eu compreendia, mas ainda assim sentia falta dele e imaginava que talvez estivesse perdendo a última chance de ver o Gus, de me despedir, ou sei lá. A sala de espera era toda forrada de carpete marrom e mobiliada com estofados de tecido marrom. Eu me sentei num sofá por um tempo, o carrinho do oxigênio enfiado debaixo dos meus pés. Eu tinha colocado meus Chuck Taylors e minha camiseta do *Ceci n'est pas une pipe*, o mesmo figurino que usei duas semanas antes no fim de tarde do diagrama de Venn, e ele nem ia ver. Comecei a olhar as fotos do meu celular, um álbum de trás para a frente dos últimos meses, começando com ele e o Isaac do lado de fora da casa da Monica, e terminando com a primeira foto que tirei dele, a caminho dos *Ossos Maneiros*. Parecia que tinha sido, tipo, há uma eternidade, como se tivéssemos vivido uma breve, mas infinita, eternidade. Alguns infinitos são maiores que outros.

Duas semanas depois, fui empurrando a cadeira de rodas do Gus pelo parque atrás do museu, em direção aos *Ossos Maneiros*, com uma garrafa cheia de um champanhe muito caro e meu cilindro de oxigênio no colo dele. O champanhe tinha sido doado por um dos médicos do Gus, o Gus sendo o tipo de pessoa que inspira médicos a darem suas garrafas de champanhe mais especiais para crianças. Ficamos ali sentados, ele na cadeira e eu na grama úmida, o mais perto dos *Ossos Maneiros* que conseguimos chegar com a cadeira de rodas. Apontei para as crianças que encorajavam umas às outras a pular da caixa torácica até o ombro, e o Gus fez um comentário, a voz dele alta só o suficiente para que eu conseguisse escutá-lo com todo aquele barulho.

— Da última vez me imaginei como sendo uma das crianças. Dessa vez sou o esqueleto.

Nós bebemos o champanhe em copos de papel do Ursinho Pooh.

CAPÍTULO DEZESSEIS

Esse foi um dia típico com o Gus em estágio terminal:
Fui até a casa dele por volta do meio-dia, depois de ele ter tomado e vomitado o café da manhã. Ele abriu a porta para mim, de cadeira de rodas, não mais aquele garoto musculoso e lindo que me encarou no Grupo de Apoio, mas ainda com o sorriso torto nos lábios, fumando o cigarro apagado, os olhos azuis intensos e vívidos.

Almoçamos com os pais dele à mesa de jantar. Sanduíches de manteiga de amendoim e geleia, mais os aspargos da noite anterior. O Gus não comeu. Perguntei como ele estava se sentindo.

— Maravilha — ele disse. — E você?

— Estou bem. O que você fez ontem à noite?

— Dormi um bocado. Quero escrever a continuação do livro para você, Hazel Grace, mas estou sempre tão cansado o tempo todo...

— Você pode simplesmente me contar o que tem em mente — falei.

— Bem, eu continuo fiel à minha análise, anterior ao encontro com o Van Houten, sobre o Homem das Tulipas Holandês.

Ele não é um vigarista, mas também não é rico como as fazia acreditar.

— E a mãe da Anna?

— Ainda não formei uma opinião a respeito dela. Paciência, Gafanhoto. — O Augustus sorriu.

Os pais dele estavam em silêncio, observando o filho sem desviar o olhar, como se quisessem curtir ao máximo o Show do Gus Waters enquanto ainda estava em cartaz.

— Às vezes sonho que estou escrevendo minha autobiografia. Um livro como esse seria a melhor forma de me perpetuar no coração e na memória do público que me idolatra.

— Por que você precisa desse público quando tem a mim? — perguntei.

— Hazel Grace, quando se é charmoso e fisicamente atraente como eu, é fácil demais seduzir quem você conhece. Mas fazer com que completos desconhecidos o amem... isso *sim* é um desafio.

Revirei os olhos.

Depois do almoço, saímos para o quintal. Ele ainda tinha força para impulsionar sozinho a cadeira de rodas, levantando um pouquinho as rodinhas da frente a fim de transpor a saliência da passagem da porta. Ainda atlético, apesar de tudo, dotado de equilíbrio e reflexos ágeis que nem mesmo aquela grande quantidade de analgésicos conseguia anular por completo.

Os pais dele ficaram dentro de casa, mas toda vez que eu olhava para a sala de jantar, os dois estavam sempre nos observando.

Ficamos sentados lá fora em silêncio por um minuto e então o Gus disse:

— Às vezes eu gostaria que ainda tivéssemos aquele balanço.

— Aquele do meu quintal?

— É. Minha nostalgia é tanta que consigo sentir saudade de um balanço no qual a minha bunda nunca encostou de fato.

— A nostalgia é um efeito colateral do câncer — falei para ele.
— Não... A nostalgia é um efeito colateral de se estar morrendo — ele retrucou.

Acima de nós, o vento soprava e as sombras das árvores andavam pela nossa pele. O Gus apertou a minha mão.
— É uma vida boa, Hazel Grace.

Entramos quando ele precisou tomar remédios, que eram injetados com a ajuda de um líquido de nutrição através do tubo de alimentação, um tubo de plástico que desaparecia dentro da barriga. Ele ficou em silêncio por um tempo, fora do ar. A mãe quis que ele tirasse uma soneca, mas o Gus sempre balançava a cabeça negativamente quando ela sugeria isso, então nós simplesmente o deixamos ficar ali sentado na cadeira, meio sonolento, por alguns instantes.

Os pais dele assistiram a um vídeo antigo do Gus com as irmãs — elas tinham mais ou menos a minha idade, e o Gus, uns cinco anos. Estavam jogando basquete na entrada de veículos de uma outra casa e, mesmo o Gus sendo pequeno, conseguia driblá-las como se tivesse nascido fazendo aquilo, correndo em círculos em volta das irmãs enquanto elas riam. Era a primeira vez que eu o via jogar basquete.

— Ele era bom — falei.
— Você devia ter visto ele no ensino médio — o pai disse. — Começou a jogar no time da escola quando ainda era calouro.

O Gus balbuciou:
— Posso ir lá para baixo?

A mãe e o pai empurraram a cadeira de rodas até o porão com o Gus ainda em cima dela, sacudindo loucamente de um jeito que teria sido considerado perigoso se o perigo ainda tivesse sua relevância, e depois nos deixaram sozinhos. Ele foi para a cama e nós ficamos deitados ali juntos, debaixo das cobertas, eu de lado e o Gus de costas, minha cabeça apoiada no ombro ossudo dele, seu calor irradiando para a minha pele através da camisa polo, meus pés entrelaçados ao pé de verdade dele, minha mão em sua bochecha.

Quando o rosto dele ficava bem perto do meu, meu nariz encostando nele de tal maneira que só dava para ver seus olhos, era impossível dizer que estava doente. Nós nos beijamos por um tempo e então ficamos ali, juntos, deitados, ouvindo o álbum epônimo do The Hectic Glow, e acabamos pegando no sono daquele jeito, um emaranhado quântico de tubos e corpos.

Acordamos algumas horas depois e arrumamos uma armada de travesseiros para que ele pudesse se sentar confortavelmente apoiado na beira da cama e jogar *Counterinsurgence 2: O preço do alvorecer*. Eu era uma negação jogando aquilo, claro, mas meu péssimo desempenho tinha uma utilidade: tornava mais fácil para ele morrer lindamente, pular na frente do projétil disparado por um atirador de elite e se sacrificar por mim, ou então matar uma sentinela que estava prestes a me acertar. Como ele se divertia me salvando! O Gus gritou:

— Você *não* vai matar minha namorada hoje, Terrorista Internacional de Nacionalidade Indefinida!

Passou pela minha cabeça simular um engasgo ou algo do gênero, para que ele pudesse aplicar a manobra de Heimlich em mim. Talvez assim o Gus conseguisse se livrar do medo de sua vida não ter sido vivida nem perdida a serviço de um bem maior. Mas aí levei em conta o fato de que ele talvez não fosse ser fisicamente capaz de realizar a manobra de Heimlich, o que me faria ter de revelar que tudo não passava de encenação, e a isso se seguiria um sentimento de humilhação mútua.

É difícil como os diabos manter a dignidade quando a luz do sol nascente é forte demais em seus olhos que perecem, e era nisso que eu estava pensando enquanto íamos atrás dos caras maus nas ruínas de uma cidade que não existia.

Por fim, o pai dele desceu e empurrou o Gus de volta para o andar de cima e, na entrada da casa, abaixo de um Encorajamento que me dizia que *Amigos São Para Sempre*, me abaixei para dar um beijo de boa-noite nele. Fui para casa e jantei com meus pais, deixando o Gus sozinho para comer (e vomitar) seu próprio jantar.

Depois de assistir a um pouco de TV, fui dormir.

Acordei.

Por volta do meio-dia, fui até lá de novo.

CAPÍTULO DEZESSETE

Certa manhã, um mês depois do retorno de Amsterdã, fui dirigindo até a casa dele. Seus pais me disseram que ele ainda estava dormindo lá embaixo, então bati na porta do porão antes de entrar e falei:
— Gus?

Encontrei-o balbuciando um idioma de sua própria criação. Tinha mijado na cama. Foi horrível. Não consegui nem olhar, sério. Só gritei pelos pais dele, que foram até lá embaixo, e subi as escadas enquanto o secavam e limpavam.

Quando voltei ao porão ele estava despertando gradualmente do efeito dos analgésicos para mais um dia excruciante. Arrumei os travesseiros para que pudéssemos jogar *Counterinsurgence* no colchão sem lençóis, mas ele estava tão cansado e desconcentrado que teve um desempenho ruim como o meu, e não conseguimos passar cinco minutos sem que ambos acabássemos morrendo. E também não eram mortes heroicas nem elaboradas. Só mortes negligentes.

Não falei nada para o Gus. Quase desejei que ele esquecesse que eu estava lá, acho, e esperava que não lembrasse que eu havia encontrado o garoto que eu amo mostrando sinais de demência deitado numa poça de seu próprio mijo. Fiquei meio que esperando que ele fosse olhar para mim e dizer: "Ah, Hazel Grace. Como você chegou até aqui?"

Mas, infelizmente, ele lembrava.

— A cada minuto que passa estou desenvolvendo uma simpatia mais profunda pela palavra mortificado — ele disse, por fim.

— Eu já fiz xixi na cama, Gus, acredite. Não é nada demais.

— Você costumava — ele falou, e então suspirou profundamente — me chamar de Augustus.

— Sabe — ele disse depois de um tempo —, isso é coisa de criança, mas sempre imaginei que meu obituário sairia impresso em todos os jornais, que eu teria uma história digna de ser contada. Sempre suspeitei secretamente que eu fosse especial.

— Você é — falei.

— Você sabe o que eu quero dizer — ele retrucou.

Eu sabia o que ele queria dizer. Só não concordava com aquilo.

— Não estou nem aí se o *New York Times* vai redigir um obituário para mim. Só quero que seja você a escrever — falei. — Você diz que não é especial porque o mundo não sabe da sua existência, mas isso é um insulto à minha pessoa. *Eu* sei da sua existência.

— Não acho que eu vá sobreviver para escrever seu obituário — ele disse, em vez de pedir desculpas.

Fiquei muito frustrada.

— Só o que eu quero é ser o suficiente para você, mas nunca consigo. Isso aqui nunca chega a ser o suficiente para você. Mas é isso o que você tem. Você tem a mim, tem sua família e tem este mundo. Esta é a sua vida. Sinto muito se é uma droga. Mas você não vai ser o primeiro homem a pisar em Marte, não vai ser um astro da NBA e não vai caçar nazistas. Quer dizer, dê uma olhada em você, Gus. — Ele não disse nada. — Eu não quero dizer... — comecei.

— Ah, você quis dizer, sim — ele me interrompeu.

Comecei a me desculpar e ele disse:

— Não, foi mal. Você está certa. Vamos só jogar.

Então nós só jogamos.

CAPÍTULO DEZOITO

Acordei com meu telefone tocando uma música do The Hectic Glow. A preferida do Gus. Aquilo significava que era ele quem estava me ligando... ou que alguém estava me ligando do celular dele. Dei uma olhada no relógio: 2h35 da manhã. Ele se foi, pensei enquanto tudo dentro de mim colapsava para uma singularidade.

Mal consegui dizer:

— *Alô?*

Esperei pelo som da voz devastada de um pai ou uma mãe.

— Hazel Grace — o Augustus disse baixinho.

— Ai, graças a Deus é você. Oi. Oi, eu te amo.

— Hazel Grace, estou no posto de gasolina. Tem alguma coisa errada. Você precisa me ajudar.

— O quê? Onde você está exatamente?

— Na esquina da Rua 86 com a Avenida Ditch. Eu fiz alguma besteira com o tubo de alimentação e não sei o que foi e...

— Vou ligar para uma ambulância — falei.

— Não não não não não, eles vão me levar para um hospital. Hazel, preste atenção. Não ligue para uma ambulância nem para os meus pais, eu nunca vou perdoar você, não faça isso, só venha aqui, por favor, e conserte a desgraça do meu tubo de alimentação. É só que, cara, isso é a maior estupidez. Não quero que meus pais saibam que saí. Por favor. Estou com o remédio aqui; só não consigo colocá-lo para dentro. Por favor.

Ele estava chorando. Nunca o tinha ouvido chorar daquele jeito, exceto quando eu estava do lado de fora da casa dele antes de Amsterdã.

— Tá — falei. — Estou indo agora.

Removi o BiPAP e me conectei a um cilindro de oxigênio. Coloquei-o no carrinho, calcei um tênis que combinava com a calça de pijama de algodão cor-de-rosa e com a camiseta de malha do time de basquete da Universidade de Butler, que tinha sido do Gus. Peguei as chaves na gaveta da cozinha onde mamãe as guardava e escrevi um bilhete para o caso de os dois acordarem enquanto eu estivesse fora.

Fui ver o Gus. É importante. Foi mal.

Com amor, H

Enquanto eu percorria de carro os poucos quilômetros até o posto de gasolina, despertei o suficiente para tentar imaginar por que o Gus tinha saído de casa no meio da noite. Talvez ele estivesse tendo alucinações, ou suas fantasias de martírio o tivessem derrotado.

Pisei fundo na Avenida Ditch passando por sinais de trânsito que piscavam no amarelo, indo rápido demais meio que para chegar logo e meio que na esperança de que um policial fosse me fazer encostar o carro e me dar um motivo para dizer a alguém que meu namorado moribundo estava empacado num posto de gasolina com um tubo de alimentação defeituoso. Mas nenhum policial apareceu para tomar aquela decisão por mim.

Só havia dois carros estacionados em frente à loja de conveniência do posto. Parei o meu ao lado do dele. Abri a porta. A luz interna se acendeu. O Augustus estava sentado no banco do motorista, coberto de vômito, as mãos pressionando a barriga no local onde o tubo de alimentação entrava.

— Oi — ele murmurou.

— Ai, meu Deus, Augustus, nós temos que ir para um hospital.

— Dê só uma olhada aqui, por favor.

Tive ânsia de vômito mas me inclinei a fim de checar o local acima do umbigo onde o tubo havia sido cirurgicamente instalado. A pele estava quente e muito vermelha.

— Gus, acho que infeccionou. Não vou conseguir resolver. Por que você está aqui? Por que não está em casa?

Ele vomitou, sem energia nem para virar o rosto e poupar seu colo.

— Ah, meu amor — falei.

— Eu queria comprar um maço de cigarros — ele balbuciou. — Perdi o meu. Ou então esconderam de mim. Não sei. Eles disseram que iam me comprar outro, mas eu quis... fazer isso sozinho. Fazer uma coisa simples sem ajuda.

Ele estava olhando fixamente para a frente. Devagarinho, peguei meu celular e olhei para o teclado a fim de discar 911.

— Sinto muito — falei para ele. *Nove-um-um, qual é a sua emergência?* — Oi, eu estou na esquina da Rua 86 com a Avenida Ditch e preciso de uma ambulância. O amor da minha vida está com um tubo de alimentação defeituoso.

Ele levantou os olhos para me olhar. Foi horrível. Eu mal conseguia encará-lo. O Augustus Waters dos sorrisos tortos e dos cigarros apagados já era, substituído por uma criatura deploravelmente humilhada sentada ali abaixo de mim.

— É o fim. Não consigo nem mais não fumar.

— Gus, eu te amo.

— Onde está a minha chance de ser o Peter Van Houten de alguém? — O Gus bateu sem força no volante, o carro buzinando enquanto ele chorava. Inclinou a cabeça para trás, olhando para cima. — Eu me odeio eu me odeio eu odeio isso eu odeio isso eu tenho nojo de mim eu odeio isso eu odeio isso eu odeio isso deixe eu morrer de uma vez.

De acordo com as convenções do gênero, o Augustus Waters manteve o senso de humor até o fim, nem por um momento abandonou sua coragem, e seu espírito elevou-se como uma águia indomável até que o mundo em si não conseguiu conter sua alma repleta de júbilo.

Mas essa era a verdade: um garoto digno de pena que queria desesperadamente não ser digno de pena, gritava e chorava, sendo envenenado pelo tubo de alimentação infectado que o mantinha vivo, mas não o suficiente.

Limpei o queixo dele e segurei seu rosto nas minhas mãos, me ajoelhando a fim de poder ver seus olhos, que ainda tinham vida.

— Sinto muito. Queria que fosse como naquele filme, com os persas e os espartanos.

— Eu também — ele disse.

— Mas não é — falei.

— Eu sei — ele completou.

— Não tem nenhum cara do mal aqui.

— É.

— Nem o câncer é um bandido de verdade: o câncer só quer viver.

— É.

— Está tudo bem — falei para ele.

E pude ouvir as sirenes.

— Tudo bem — ele falou.

Estava perdendo a consciência.

— Gus, você tem que me prometer que não vai fazer mais isso. Eu compro cigarros para você, tá? — Ele me olhou. Seus olhos nadavam nas órbitas. — Você tem que me prometer.

Ele fez que sim com a cabeça, de leve, e então fechou os olhos, a cabeça pendendo do pescoço.
— Gus — falei. — Fique aqui comigo.
— Leia alguma coisa para mim — ele disse, enquanto a desgraça da ambulância passava direto por nós.

Então, enquanto eu esperava que eles dessem a volta e nos encontrassem, recitei o único poema que me veio à cabeça: "O Carrinho de Mão Vermelho", de William Carlos Williams.

tanta coisa depende
de um

carrinho de mão
vermelho

esmaltado de água de
chuva

ao lado das galinhas
brancas.

Williams era médico. Aquele parecia, para mim, um poema de médico. Tinha acabado, mas a ambulância ainda se afastava de nós, então fui compondo o poema.

E tanta coisa depende, falei para o Augustus, de um céu azul descortinado pelos galhos das árvores. Tanta coisa depende do tubo de alimentação transparente erupcionando das vísceras do garoto de lábios cianóticos. Tanta coisa depende desse observador do universo.

Só metade consciente, ele olhou para mim e murmurou:
— E você ainda diz que não escreve poesia.

CAPÍTULO DEZENOVE

Ele saiu do hospital e foi para casa alguns dias depois, final e irrevogavelmente esvaziado de suas ambições. Passou a precisar de mais remédios para acabar com a dor. Ele se mudou para o andar de cima permanentemente, para uma cama de hospital colocada perto da janela da sala de estar.

Aqueles foram dias de pijamas e barba por fazer, de murmúrios, de pedidos e do Gus agradecendo sem parar a todo mundo por tudo o que estavam fazendo por ele. Uma tarde, ele apontou vagamente para o cesto de roupa suja no canto do cômodo e me perguntou:

— O que é aquilo?
— O cesto de roupa suja?
— Não, ao lado dele.
— Não vejo nada ao lado dele.
— Meu último resquício de dignidade. É muito pequeno.

No dia seguinte, entrei sem bater. Eles não queriam mais que eu tocasse a campainha porque isso poderia acordar o Gus. As irmãs dele estavam lá com os maridos banqueiros e três crianças, todas meninos, que correram até mim e cantaram quem é você quem é você quem é você, correndo em círculos pelo *hall* de entrada, como se a capacidade pulmonar fosse um recurso renovável. Eu já havia sido apresentada às irmãs, mas nunca às crianças ou aos pais delas.

— Meu nome é Hazel — falei.

— Gus tem namorada — um dos meninos disse.

— Eu sei que o Gus tem namorada — falei.

— Ela tem peito — um dos outros disse.

— Mesmo?

— Por que você carrega isso? — o primeiro perguntou, apontando para o carrinho do oxigênio.

— Ele me ajuda a respirar — respondi. — O Gus está acordado?

— Não, ele está dormindo.

— Ele está morrendo — falou outro.

— Ele está morrendo — confirmou o terceiro, repentinamente sério.

Tudo ficou em silêncio por alguns instantes e eu fiquei tentando imaginar o que deveria dizer, mas então um deles chutou o do lado e os três saíram de novo em disparada, um caindo por cima do outro num furacão que migrava para a cozinha.

Segui até a sala de estar para ver os pais do Gus e conheci os cunhados, Chris e Dave.

Eu não tinha chegado a conhecer as meias-irmãs direito, mas ambas me abraçaram mesmo assim. A Julie estava sentada na beira da cama, falando com um Gus adormecido exatamente com o mesmo tom de voz que alguém usaria para falar para uma criança que ela era adorável, dizendo:

— Ah, Gussy Gussy, nosso pequeno Gussy Gussy.

Nosso Gussy? Elas tinham comprado ele?

— E aí, Augustus? — falei, tentando reproduzir um modelo de comportamento apropriado.

— Nosso belo Gussy — disse a Martha, se inclinando para a frente, mais para perto dele.

Comecei a me perguntar se o Gus estava dormindo de verdade ou se tinha pressionado sem parar a bombinha que liberava os analgésicos a fim de evitar o Ataque das Irmãs Bem-intencionadas.

Ele acordou depois de um tempo e a primeira coisa que disse foi:
— Hazel.

O que, tenho de admitir, me deixou feliz, como se eu também fizesse parte da família dele, talvez.
— Lá fora — ele falou, baixinho. — Podemos ir?

Fomos todos: a mãe empurrando a cadeira de rodas, as irmãs, os cunhados, o pai, os sobrinhos e eu seguindo em procissão. O dia estava nublado, ainda, e quente, pois o verão havia chegado de vez. O Gus estava com uma camiseta de manga comprida azul-marinho e calça de moletom. Por algum motivo, sentia frio o tempo todo. Ele pediu água, então seu pai foi e buscou um copo cheio.

A Martha tentou puxar conversa com ele, ajoelhando-se a seu lado, dizendo:
— Você sempre teve olhos tão bonitos.

Ele assentiu com a cabeça, devagarinho.

Um dos maridos colocou um dos braços no ombro do Gus e falou:
— O que está achando desse ar puro?

O Gus deu de ombros.
— Você quer seus remédios? — a mãe dele perguntou, se juntando à roda de pessoas ajoelhadas à sua volta.

Dei um passo atrás, vendo os sobrinhos destruírem um canteiro de flores a caminho do pequeno gramado no quintal do Gus. Eles começaram imediatamente a brincar de jogar um ao outro no chão.

— Crianças! — a Julie gritou sem muita convicção. — Só espero — ela disse, se virando de novo para o Gus — que eles cresçam e sejam o tipo de jovem atencioso e inteligente que você se tornou.

— Resisti à vontade de fingir que ia enfiar o dedo na garganta.

— Ele não é tão inteligente assim — falei para a Julie.

— Ela tem razão. É só que a maioria das pessoas muito bonitas é burra, por isso eu supero as expectativas.

— É isso aí. Ele é basicamente sensual — falei.

— A minha sensualidade pode meio que cegar — ele disse.

— Como de fato cegou o nosso amigo Isaac — falei.

— Uma tragédia sem precedentes, aquela. Mas dá para eu conter a minha beleza mortal?

— Não, não dá.

— É minha sina, esse rosto lindo.

— Isso sem falar no seu corpo.

— Na moral, não vou nem começar a falar do meu corpo *sexy*. Você não ia querer me ver nu, Dave. Na verdade, me ver pelado foi o que fez a Hazel Grace perder o ar — ele falou, fazendo um gesto com a cabeça na direção do cilindro de oxigênio.

— Tá, já chega — o pai do Gus disse, e então, do nada, me abraçou e beijou a minha cabeça, sussurrando: — Eu agradeço a Deus todos os dias por você existir, menina.

Bem, de qualquer jeito, aquele foi o último dia bom que passei com o Gus até o Último Dia Bom.

CAPÍTULO VINTE

Uma das convenções menos sem sentido do tipo criança com câncer é a do Último Dia Bom, quando a vítima do câncer se vê vivendo horas imprevistas nas quais parece que, de repente, o declínio inexorável atingiu um nível estável, quando a dor é suportável por um momento. O problema, obviamente, é que não dá para saber que seu último dia bom é o seu Último Dia Bom. Na hora, ele é só um dia bom como outro qualquer.

Eu não tinha ido visitar o Augustus naquele dia porque eu mesma não estava me sentindo muito bem: nada especialmente sério, só estava cansada. Foi um dia de não fazer nada, e quando o Augustus ligou logo depois das cinco da tarde eu já estava conectada ao BiPAP, que tínhamos arrastado até a sala de estar para que eu pudesse ver televisão com a mamãe e o papai.

— Oi, Augustus — falei.

Ele respondeu com a voz pela qual eu tinha me apaixonado.

— Boa tarde, Hazel Grace. Por acaso você acha que poderia dar uma chegada no Coração Literal de Jesus lá pelas oito da noite?

— Humm... sim.
— Excelente. E também, se não for pedir demais, você poderia preparar um elogio fúnebre, por favor?
— Humm — falei.
— Eu te amo — ele disse.
— Eu também — completei, e ele desligou o telefone.
— Humm — comecei. — Preciso ir ao Grupo de Apoio hoje, às oito da noite. Sessão de emergência.

Minha mãe tirou o som da TV.

— Está tudo bem?

Olhei para ela por um segundo, a sobrancelha arqueada.

— Imagino que essa seja uma pergunta retórica.
— Mas por que haveria...
— Porque, por algum motivo, o Gus precisa de mim. Está tudo bem. Posso ir dirigindo.

Fiquei brincando com o BiPAP para que a mamãe pudesse me ajudar a tirá-lo, mas ela nem se mexeu.

— Hazel — ela falou —, seu pai e eu estamos com a sensação de que não a vemos mais.

— Principalmente aqueles de nós que trabalham a semana toda — papai disse.

— Ele precisa de mim — falei, finalmente tirando o BiPAP sozinha.

— Nós também precisamos de você, filha — meu pai falou.

Ele me segurou firme pelo pulso, como se eu fosse uma garotinha de dois anos prestes a sair correndo pela rua.

— Bem, pai, arrume uma doença terminal, e aí eu fico mais em casa.

— Hazel — minha mãe falou.

— Era você quem não queria que eu fosse uma reclusa — falei para ela. Papai ainda estava segurando o meu braço. — E agora quer que ele vá e morra para que eu volte a ficar aprisionada aqui, deixando que você tome conta de mim como sempre deixei. Mas eu não preciso disso, mãe. Não preciso de você como precisava antes. É você quem precisa viver a sua vida.

— Hazel! — o papai falou, apertando ainda mais o meu pulso. — Peça desculpas à sua mãe.

Eu estava puxando meu braço, mas ele não me soltava, e eu não conseguia colocar a cânula só com uma das mãos. Era de dar nos nervos. Tudo o que eu queria era um rompante adolescente à moda antiga, sair como um furacão, bater a porta do meu quarto, botar o The Hectic Glow bem alto para tocar e escrever freneticamente um elogio fúnebre. Mas eu não podia fazer isso porque não conseguia respirar.

— A cânula — eu me queixei. — Preciso dela.

Meu pai me soltou imediatamente e se apressou em me conectar com o oxigênio. Pude ver a culpa em seus olhos, mas ele ainda estava com raiva.

— Hazel, peça desculpas para sua mãe.

— Tá bem, foi mal, só me deixem fazer isso, por favor.

Eles não disseram nada. Mamãe continuou sentada com os braços cruzados, sem nem olhar para mim. Depois de um tempo eu me levantei e fui para o quarto a fim de escrever sobre o Augustus.

Tanto a mamãe quanto o papai bateram na minha porta algumas vezes, e tal, e eu só respondi dizendo que estava fazendo uma coisa importante. Levei uma eternidade para descobrir o que gostaria de dizer, e mesmo depois não fiquei muito satisfeita com o resultado. Antes de dar o texto por encerrado, tecnicamente falando, reparei que eram 7h40, o que significava que eu chegaria atrasada mesmo se não trocasse de roupa, então, no fim das contas, fui com a calça do pijama de algodão azul-bebê, um par de chinelos e a camiseta do time da Butler, do Gus.

Saí do quarto e tentei passar direto por eles, mas meu pai disse:

— Você não pode sair desta casa sem permissão.

— Ai, meu Deus, pai. O Gus queria que eu escrevesse um elogio fúnebre para ele, tá? Eu vou ficar em casa todo. Raio. De. Noite. Começando qualquer dia a partir de amanhã, tudo bem?

Aquilo finalmente os fez calar a boca.

Só me acalmei da discussão com meus pais quando já estava chegando lá. Dei a volta na parte de trás da igreja e estacionei na entrada de veículos semicircular, atrás do carro do Augustus. A porta dos fundos estava aberta, presa por uma pedra do tamanho de um punho. Lá dentro, considerei a possibilidade de descer de escada, mas decidi esperar pelo velho elevador.

Quando a porta do elevador se abriu eu me vi na sala de reunião do Grupo de Apoio, as cadeiras arrumadas na mesma roda de sempre. Mas agora o que enxerguei foi só o Gus numa cadeira de rodas, morbidamente magro. Ele me encarava do meio do círculo. Tinha ficado esperando a porta do elevador se abrir.

— Hazel Grace — ele disse —, você está estonteante.

— Estou, não estou?

Ouvi um barulho vindo de um canto escuro do cômodo. O Isaac estava de pé atrás de um pequeno púlpito de madeira, apoiando-se nele.

— Você quer se sentar? — perguntei para o Isaac.

— Não. Estou prestes a começar um elogio fúnebre. Você está atrasada.

— Você... eu... o quê?

O Gus fez um gesto para eu me sentar. Puxei uma cadeira até o meio da roda, para perto dele, e ele girou a cadeira de rodas para ficar de frente para o Isaac.

— Quero comparecer ao meu enterro — o Gus disse. — A propósito, você vai dizer algumas palavras no meu enterro?

— Humm, claro, vou sim — falei, deixando minha cabeça repousar no ombro dele.

Estendi os braços por suas costas e abracei tanto o Gus quanto a cadeira de rodas. Ele fez uma careta. Eu o larguei.

— Beleza — ele falou. — Tenho esperança de poder comparecer como fantasma, mas, só para garantir, pensei que talvez... bem, não é que eu queira deixar vocês numa situação difícil nem nada, mas esta tarde tive a ideia de organizar um pré-enterro, e deduzi que, já que estou me sentindo relativamente bem, não há momento melhor que o presente.

— Como é que você conseguiu entrar aqui? — perguntei.

— Você acredita que eles deixam a porta aberta a noite toda?

— Humm... não — respondi.

— E não deveria mesmo — o Gus sorriu. — Bem, de qualquer forma, sei que isso é um pouco autoengrandecedor.

— Ei, você está roubando meu elogio fúnebre — o Isaac disse. — A primeira parte fala de como você era um filho da mãe autoengrandecedor.

Eu ri.

— Tá, tá — o Gus disse. — Quando quiser.

O Isaac limpou a garganta.

— O Augustus Waters era um filho da mãe autoengrandecedor. Mas nós o perdoamos. Nós o perdoamos não porque seu coração figurativo era tão bom quanto o coração literal era ruim, nem porque ele sabia segurar um cigarro melhor que qualquer outro não fumante na história, nem porque ele viveu dezoito anos quando deveria ter vivido mais.

— Dezessete — o Gus corrigiu.

— Estou presumindo que você ainda tenha algum tempo de vida, seu filho da mãe que só sabe interromper os outros. Vou dizer uma coisa para vocês — o Isaac continuou —, o Augustus Waters falava tanto que seria capaz de interromper a pessoa falando em seu próprio enterro. E ele era pretensioso: Meu Jesus Cristo, aquele garoto nunca mijava sem ponderar a respeito das ressonâncias metafóricas abundantes na produção de dejetos humanos. E ele era vaidoso: não creio ter conhecido uma pessoa mais atraente fisicamente que tivesse uma consciência tão profunda de sua própria atratividade física. Mas só digo uma coisa: quando os cientistas do futuro aparecerem na minha casa com olhos robóticos e me disserem para experimentá-los, vou mandar eles se foderem, porque não quero ver um mundo sem o Augustus.

Eu estava meio que chorando a essa altura.

— E aí, depois de ter defendido meu argumento retórico, vou colocar os olhos robóticos, porque, quer dizer, com olhos robóticos pode ser que eu consiga ver através das camisetas das garotas, e tal. Augustus, meu amigo, que bons ventos o levem.

O Augustus balançou a cabeça por alguns instantes, os lábios franzidos, e então fez um sinal de positivo com o polegar para o Isaac. Depois de recuperar a compostura, comentou:

— Eu deixaria de fora a parte sobre ver através das camisetas das garotas.

O Isaac ainda estava apoiado no púlpito. E começou a chorar. Apoiou a testa com o rosto virado para o pódio e eu fiquei vendo seus ombros tremerem. Por fim, ele falou:

— Porra, Augustus, editando seu próprio elogio fúnebre...

— Não fale palavrão no Coração Literal de Jesus — o Gus disse.

— Porra — o Isaac repetiu. Ele levantou a mão e engoliu em seco. — Hazel, você poderia me dar uma mãozinha aqui?

Tinha me esquecido de que ele não conseguia voltar para a roda sozinho. Eu me levantei, coloquei a mão dele no meu braço e o guiei lentamente até a cadeira ao lado do Gus, onde estivera sentada. Aí andei até o pódio e desdobrei o pedaço de papel no qual havia impresso meu elogio fúnebre.

— Meu nome é Hazel. O Augustus Waters foi o grande amor estrela-cruzada da minha vida. Nossa história de amor

foi épica, e não serei capaz de falar mais de uma frase sobre isso sem me afogar numa poça de lágrimas. O Gus sabia. O Gus sabe. Não vou falar da nossa história de amor para vocês porque, como todas as histórias de amor de verdade, ela vai morrer com a gente, como deve ser. Eu tinha a expectativa de que ele é quem estaria fazendo o meu elogio fúnebre, porque não há ninguém que eu quisesse tanto que.... — Comecei a chorar. — Tá, como não chorar. Como é que eu... tá. Tá.
Respirei fundo algumas vezes e retomei a leitura.

— Não posso falar da nossa história de amor, então vou falar de matemática. Não sou formada em matemática, mas sei de uma coisa: existe uma quantidade infinita de números entre 0 e 1. Tem o 0,1 e o 0,12 e o 0,112 e uma infinidade de outros. Obviamente, existe um conjunto ainda *maior* entre o 0 e o 2, ou entre o 0 e o 1 milhão. Alguns infinitos são maiores que outros. Um escritor de quem costumávamos gostar nos ensinou isso. Há dias, muitos deles, em que fico zangada com o tamanho do meu conjunto ilimitado. Queria mais números do que provavelmente vou ter, e, por Deus, queria mais números para o Augustus Waters do que os que ele teve. Mas, Gus, meu amor, você não imagina o tamanho da minha gratidão pelo nosso pequeno infinito. Eu não o trocaria por nada nesse mundo. Você me deu uma eternidade dentro dos nossos dias numerados, e sou muito grata por isso.

CAPÍTULO VINTE E UM

O Augustus Waters morreu oito dias depois do seu pré-enterro, no Memorial, na UTI, quando o câncer, que era feito dele, finalmente parou seu coração, que também era feito dele. Ele estava com a mãe, o pai e as irmãs. A mãe do Gus me ligou às três e meia da madrugada. Eu já sabia, obviamente, que ele estava para partir. Tinha falado com o pai dele antes de dormir, e ele me disse: "É possível que não passe de hoje", mas, ainda assim, quando peguei o celular da mesa de cabeceira e vi *Mãe do Gus* na identificação da chamada, tudo dentro de mim desmoronou. Ela só chorava do outro lado da linha, e me disse que sentia muito, eu disse que sentia muito também, e ela me contou que ele havia ficado inconsciente por algumas horas antes de morrer.

Meus pais entraram no meu quarto nessa hora, me olhando na expectativa, e eu simplesmente assenti com a cabeça. Eles se abraçaram, sentindo, tenho certeza, o terror harmônico que viria direcionado especificamente para eles dali a algum tempo.

Liguei para o Isaac, que xingou a vida, o universo e até o próprio Deus, e perguntou onde estavam os raios dos troféus para se quebrar quando mais se precisava deles. Foi então que me dei conta de que não havia mais ninguém para quem ligar, o que era muito triste. A única pessoa com quem eu queria falar sobre a morte do Augustus Waters era o Augustus Waters.

Meus pais ficaram comigo no quarto por uma eternidade, até quando já era de manhã e o papai finalmente perguntou:

— Você quer ficar sozinha?

Eu fiz que sim com a cabeça e a mamãe completou:

— Estaremos logo ali atrás da porta.

E eu pensei: *não duvido nada*.

Foi insuportável. A coisa toda. Cada segundo pior que o anterior. Eu só ficava pensando em ligar para ele, tentando imaginar o que aconteceria, se alguém atenderia o celular. Nas últimas semanas, nós nos limitamos a passar o nosso tempo juntos relembrando o passado, mas isso não significava mais nada: o prazer de lembrar tinha sido tirado de mim, porque não havia mais ninguém com quem compartilhar as lembranças. Parecia que a perda do colembrador representava a perda da própria memória, como se as coisas que tínhamos feito juntos fossem menos reais e importantes do que eram algumas horas antes.

Quando você chega à Emergência de um hospital, uma das primeiras coisas que eles pedem é que você dê uma nota para a sua dor numa escala de um a dez. A partir daí eles decidem que medicamentos prescrever e a velocidade com que têm de ser administrados. Passei por essa situação centenas de vezes no decorrer dos anos, e me lembro de uma vez, logo no início, em que eu não estava conseguindo respirar e parecia que meu peito pegava fogo, as chamas lambendo meu tórax por dentro, tentando encontrar um jeito de sair e queimar o lado de fora, e meus pais me levaram para a Emergência. Uma enfermeira me perguntou sobre a dor e eu não conseguia nem falar, então mostrei nove dedos.

Depois, quando eles já tinham me dado alguma coisa, a enfermeira voltou e ficou meio que acariciando minha mão enquanto media a minha pressão arterial, então disse: "Sabe como eu sei que você é guerreira? Você chamou um dez de nove."

Mas não foi exatamente o que aconteceu. Eu chamei aquilo de nove porque estava poupando o meu dez. E aqui estava ele, o grande e terrível dez me açoitando sem parar, e eu ali sozinha, deitada na minha cama, olhando fixamente para o teto, as ondas me jogando de encontro às pedras e depois me puxando de volta para o mar a fim de poderem me lançar mais uma vez na face chanfrada do penhasco, me abandonando na água, boiando, o rosto virado para cima sem me afogar.

Acabei ligando para ele. O telefone tocou cinco vezes e a caixa postal atendeu. "Esta é a caixa postal do Augustus Waters", ele disse, a voz de clarim pela qual eu tinha me apaixonado. "Deixe uma mensagem." E o bipe. O silêncio na linha era muito horripilante. Eu só queria voltar com ele para aquela terceira dimensão secreta e pós-terrestre que visitávamos quando falávamos ao telefone. Esperei por aquele sentimento, mas não veio: o silêncio na linha não me trouxe nenhum conforto, e, por fim, desliguei.

Peguei meu *laptop*, que estava debaixo da cama, apertei o botão de ligar e fui direto no perfil dele, onde as mensagens de pêsames já inundavam o mural. A mais recente dizia:

Eu te amo, irmão. Te vejo do outro lado.

...Escrita por alguém de quem eu nunca tinha ouvido falar. Na verdade, quase todos os *posts* no mural dele, que chegavam quase na mesma velocidade que eu levava para acabar de ler cada um, foram escritos por pessoas que não conheci e das quais ele nunca tinha falado, pessoas que estavam exaltando as diversas virtudes dele agora, depois de morto, mesmo eu tendo certeza de que não viam o Gus havia vários meses e nem tinham feito qualquer esforço para visitá-lo. Fiquei tentando imaginar se meu mural ficaria assim quando eu morresse, ou se eu já tinha ficado longe da escola e da vida tempo suficiente para escapar da memorialização generalizada.

Continuei lendo.

Já sinto saudade de você, irmão.

Eu te amo, Augustus. Deus te abençoe e te guarde.

Você vai viver para sempre em nossos corações, grande.

(Essa, em particular, me irritou, porque implicava a imortalidade daqueles que ficaram para trás: você vai viver para sempre na minha memória, porque eu vou viver para sempre! EU SOU SEU DEUS AGORA, GAROTO MORTO! EU POSSUO VOCÊ! Achar que você não vai morrer é, também, mais um efeito colateral de se estar morrendo.)

Você sempre foi um amigo tão legal que sinto muito por não ter te visto mais depois que saiu da escola, irmão. Aposto que já está batendo uma bola no paraíso.

Imaginei qual seria a análise do Augustus Waters àquele comentário. Se estou jogando basquete no paraíso, isso implica a existência física de um paraíso contendo bolas de basquete físicas? Quem faz as bolas de basquete em questão? Existem almas menos afortunadas no paraíso que trabalham numa fábrica de bolas de basquete celestial para que eu possa jogar? Ou será que foi um Deus onipotente que criou as bolas de basquete a partir do vácuo no espaço? Este paraíso fica localizado em algum tipo de universo não observável no qual as leis da física não se aplicam? Caso isso seja verdade, por que raios eu estaria jogando basquete quando poderia estar voando, lendo, admirando pessoas bonitas ou fazendo qualquer outra coisa de que realmente gosto? É quase como se o modo como você imagina meu "eu" morto dissesse mais sobre você do que sobre a pessoa que eu era ou sobre o que quer que eu seja agora.

Os pais dele ligaram por volta do meio-dia para dizer que o enterro estava marcado para dali a cinco dias, no sábado. Imaginei uma igreja cheia de pessoas que achavam que ele gostava de basquete e quis vomitar, mas sabia que precisava ir, já que teria de falar, e tudo mais. Quando desliguei o telefone, voltei a ler o mural:

> Acabei de saber que o Gus Waters morreu depois de uma longa batalha contra o câncer. Descanse em paz, cara.

Eu sabia que aquelas pessoas estavam sinceramente tristes e que eu não estava com raiva delas de verdade. Estava com raiva era do universo. Mesmo assim, aquilo me deixou furiosa: você ganha todos esses amigos justo quando não precisa mais. Escrevi um comentário àquele *post*:

> Nós vivemos num universo dedicado à criação e à erradicação da consciência. Augustus Waters não morreu depois de uma longa batalha contra o câncer. Ele morreu depois de uma longa batalha contra a consciência humana, uma vítima — como você será — da necessidade do universo de fazer e desfazer tudo o que é possível.

Postei aquilo e esperei que alguém respondesse, atualizando a página várias vezes. Nada. Meu comentário se perdeu na nevasca dos novos *posts*. Todo mundo ia sentir muita falta dele. Todos estavam rezando pela família dele. Eu me lembrei da carta do Van Houten: A escrita não ressuscita. Ela enterra.

Depois de um tempo, fui para a sala de estar a fim de me sentar com meus pais e ver TV. Não sabia dizer que programa era aquele, mas, num determinado momento, minha mãe disse:

— Hazel, há alguma coisa que possamos fazer por você?

— Só balancei a cabeça. E comecei a chorar de novo. — O que podemos fazer? — ela insistiu.

Eu dei de ombros.

Mas ela continuou perguntando, como se houvesse algo que pudesse fazer, até que, por fim, eu meio que me arrastei pelo sofá para o colo dela, e meu pai chegou mais para perto e segurou minhas pernas com firmeza. Eu abracei minha mãe pela cintura e eles ficaram me segurando horas enquanto a maré se avolumava sobre mim.

CAPÍTULO VINTE E DOIS

Assim que chegamos lá eu me sentei no fundo da sala de visitas da igreja, um cômodo pequeno de paredes de pedra ao lado do santuário na igreja do Coração Literal de Jesus. Havia mais ou menos umas oitenta cadeiras dispostas pela sala, que estava dois terços cheia, mas a sensação era de que estava um terço vazia.

Por um tempo, fiquei só olhando as pessoas indo até o caixão em cima de um tipo de carrinho coberto com um pano roxo. Todas aquelas pessoas que eu nunca tinha visto se ajoelhavam ao lado dele ou paravam ao lado dele e o olhavam por alguns instantes, umas chorando, outras dizendo alguma coisa, e então todas colocavam a mão no caixão, em vez de nele, porque ninguém quer tocar os mortos.

A mãe e o pai do Gus estavam em pé ao lado do caixão, abraçando as pessoas conforme iam passando, mas aí me viram, sorriram e vieram até mim. Eu me levantei e abracei primeiro o pai, depois a mãe, que me deu um abraço bem forte, como o Gus costumava fazer, apertando minhas clavículas. Os dois pareciam muito envelhecidos — os olhos fundos, a pele flácida dos rostos exaustos. Eles também haviam chegado ao fim de uma corrida com obstáculos.

— Ele amava tanto você... — a mãe do Gus disse. — Ele a amava de verdade. Não era um amor qualquer de adolescente — ela acrescentou, como se eu não soubesse.

— Ele também amava muito você — falei baixinho. É difícil explicar, mas ao falar com os pais do Gus parecia que eu estava dando uma facada neles e eles, em mim. — Sinto muito — eu disse.

E então os pais dele foram falar com os meus pais, a conversa limitada a gestos de cabeça e lábios apertados. Olhei para o caixão e vi que não havia ninguém em volta, então decidi andar até lá. Tirei a cânula das narinas e levantei o cilindro de oxigênio, entregando-o para o papai. Eu queria que fôssemos só eu e só ele. Peguei minha bolsinha de mão e andei pelo corredor criado pelas fileiras de cadeiras.

A caminhada parecia longa, mas fiquei dizendo aos meus pulmões para se comportarem, que eles eram fortes, que podiam fazer aquilo. Pude ver o Gus ao me aproximar do caixão: o cabelo estava perfeitamente repartido do lado esquerdo, de um jeito que ele teria achado absolutamente horrível, e seu rosto parecia plastificado. Mas ainda era o Gus. Meu magro e belo Gus.

Quis usar o vestido preto que havia comprado para minha festa de aniversário de quinze anos, meu vestido mortuário, mas não cabia mais, então usei um vestido preto liso que ia até o joelho. O Augustus estava com o mesmo terno de lapela fina que havia usado no Oranjee.

Quando ajoelhei, percebi que eles haviam fechado seus olhos, claro que tinham feito isso, e que eu nunca mais veria aqueles olhos azuis.

— Eu te amo no presente do indicativo — sussurrei, e coloquei minha mão no meio do peito dele. Está tudo bem, Gus. Tudo bem. Está. Está tudo bem, ouviu? — Não tinha, e não tenho, absolutamente nenhuma esperança de que ele pudesse me ouvir. Eu me inclinei para a frente e beijei a bochecha dele. — O.k. — falei. — O.k. De repente me dei conta de que havia várias pessoas nos olhando, e que, na última vez em que tantas pessoas viram um beijo nosso, nós estávamos na casa da Anne Frank. Mas não havia mais, por assim dizer, um "nós" para se ver. Só um "eu".

Abri a bolsinha, enfiei a mão nela e tirei de lá um maço de Camel Lights. Num gesto rápido, que, eu esperava, ninguém atrás de mim ia reparar, enfiei-o no espaço entre o corpo dele e o forro de *plush* prateado do caixão.

— Você pode acender esses — sussurrei. — Não vou me importar.

Enquanto eu falava com ele, a mamãe e o papai haviam se deslocado para a segunda fileira de cadeiras com meu cilindro, para que eu não tivesse de andar muito ao voltar. O papai me deu um lenço de papel quando me sentei. Assoei o nariz, ajeitei os tubos nas orelhas e reinseri os cateteres nasais.

Achei que iríamos até o santuário propriamente dito para a cerimônia, mas tudo aconteceu naquela pequena sala lateral, a Mão Literal de Jesus, acho — a parte da cruz na qual ele fora pregado. Um pastor se posicionou atrás do caixão, quase como se o caixão fosse um púlpito, e tal, e falou um pouco sobre como o Augustus havia enfrentado uma batalha corajosa e como o heroísmo dele diante da doença foi uma inspiração para todos nós, e eu já estava começando a ficar irritada com o homem quando ele disse: "No paraíso, o Augustus vai, finalmente, ser curado e ficar inteiro", o que implicava que ele tinha sido menos inteiro que as outras pessoas por lhe faltar uma perna, e eu meio que não consegui evitar um suspiro de repulsa. Meu pai colocou a mão na minha perna, logo acima do joelho, e me lançou um olhar de desaprovação, mas da fileira logo atrás de mim alguém resmungou perto do meu ouvido, tão baixo que quase não deu para escutar:

— Quanta baboseira, hein, garota?

Eu me virei. O Peter Van Houten usava um terno de linho branco, feito sob medida para abarcar sua rotundidade, uma camisa azul-claro e uma gravata verde. Parecia que estava vestido para uma ocupação colonial do Panamá, não para um enterro. O pastor falou:

— Oremos.

Mas enquanto todo mundo baixava a cabeça, eu só conseguia olhar boquiaberta para aquela visão do Peter Van Houten. Depois de alguns segundos, ele sussurrou:

— Temos de fingir que estamos orando — e baixou a cabeça.

Tentei tirá-lo da cabeça e só rezar para o Augustus. Decidi prestar atenção ao que o pastor estava falando e não olhar para trás.

O pastor chamou o Isaac, que estava muito mais sério do que no pré-enterro.

— O Augustus Waters era o prefeito da Cidade Secreta de Cancervânia, e ele não é substituível — o Isaac começou. — Outras pessoas poderão contar histórias engraçadas sobre o Gus, porque ele era um cara engraçado, mas vou contar uma história séria: um dia depois de arrancarem meu olho, o Gus apareceu no hospital. Eu estava cego, com o coração partido e não queria fazer nada. Ele entrou como um furacão no meu quarto e gritou: "Trago ótimas notícias!" E eu falei, tipo: "Não estou a fim de ouvir ótimas notícias agora", e o Gus disse: "Essas são ótimas notícias que você vai querer ouvir", e perguntei para ele: "Tá, o que é?", e ele respondeu: "Você vai viver uma vida boa e duradoura cheia de momentos maravilhosos e terríveis que você ainda não tem nem como imaginar como serão!"

O Isaac não conseguiu continuar, ou então aquilo era tudo o que tinha escrito.

Depois que um amigo da escola contou algumas histórias sobre os talentos consideráveis do Gus no basquete e suas muitas qualidades como companheiro de equipe, o pastor disse:

— Agora vamos ouvir algumas palavras de uma amiga especial do Augustus.

Amiga especial?

Algumas risadinhas foram ouvidas entre o público presente, então achei que não haveria problema se eu começasse dizendo para o pastor:

— Eu era a namorada dele.

Aquilo provocou algumas risadas. E então comecei a ler o papel com o elogio fúnebre que eu tinha escrito.

— Há uma citação muito boa na casa do Gus, uma que tanto ele quanto eu achamos muito reconfortante: *Sem dor, não poderíamos reconhecer o prazer.*

Prossegui citando vários Encorajamentos de merda enquanto os pais do Gus, de braços dados, se abraçavam e anuíam com a cabeça a cada palavra. Cheguei a uma conclusão: cerimônias como essa são para os vivos.

Depois que a Julie, a irmã dele, falou, a cerimônia foi encerrada com uma oração que falava sobre a união de Gus com Deus, e aí eu pensei no que ele tinha dito no Oranjee, que não acreditava em mansões e harpas, mas que acreditava, sim, em Algo com A maiúsculo, então tentei imaginá-lo em Algum lugar com A maiúsculo enquanto rezávamos, mas mesmo naquele momento não consegui me convencer direito de que nós dois ficaríamos juntos de novo. Eu já conhecia muitas pessoas mortas. Sabia que agora o tempo passaria para mim de um jeito diferente do que passaria para ele. Que eu, como todas as pessoas naquele ambiente, seguiria acumulando amores e perdas enquanto ele, não. E para mim aquela era a tragédia final e verdadeiramente insuportável: como todos os inumeráveis mortos, ele havia sido, de uma vez por todas, rebaixado de assombrado para assombração.

E aí um dos cunhados do Gus havia levado um aparelho de som portátil e eles botaram para tocar uma música que o Gus havia escolhido: uma canção triste e lenta do The Hectic Glow chamada "The New Partner". Sinceramente, tudo o que eu queria era ir para casa. Eu não conhecia quase nenhuma daquelas pessoas, e podia sentir os olhinhos do Peter Van Houten olhando detidamente para meus ombros expostos, mas, depois que a música terminou, todos tiveram de vir até mim e me dizer que o que eu falei foi lindo e que aquela tinha sido uma cerimônia adorável, o que era mentira: aquilo era uma cerimônia de enterro. E se parecia com qualquer outra cerimônia de enterro.

Os carregadores do caixão dele — alguns primos, o pai, um tio, amigos que eu nunca tinha visto — se aproximaram e o seguraram, e todos começaram a andar na direção do carro funerário.

Quando mamãe, papai e eu entramos no carro, falei:

— Não quero ir. Estou cansada.

— Hazel — mamãe disse.

— Mãe, não vai ter lugar para sentar, vai durar horas e eu estou exausta.

— Hazel, nós temos que ir pelo Sr. e pela Sra. Waters — mamãe argumentou.

— É só que... — falei.

Eu me senti muito pequena no banco traseiro do carro, por algum motivo. Eu meio que queria *ser* pequena. Queria ter seis anos ou coisa parecida.

— Tá bem — falei.

Fiquei só olhando pela janela por um tempo. Eu realmente não queria ir. Não queria vê-los baixando o Gus para debaixo da terra, no local que ele havia escolhido com o pai; não queria ver os pais dele caindo de joelhos na grama úmida de orvalho e gemendo de dor, não queria ver a barriga alcoólatra do Peter Van Houten estufada no terno de linho, não queria chorar na frente de um monte de gente, não queria jogar um bocado de terra na sepultura dele, não queria que meus pais tivessem que ficar ali debaixo daquele céu azul e límpido com a luminosidade do entardecer e sua certa obliquidade, pensando que chegaria o dia deles, o da filha deles, do meu lote, do meu caixão e da minha terra.

Mas fiz tudo isso. Tudo isso e muito mais, porque mamãe e papai achavam que devíamos.

Assim que terminou, o Van Houten andou até onde eu estava, colocou a mão gorda no meu ombro e disse:

— Posso pegar uma carona com você? Deixei meu carro alugado lá no pé da ladeira.

Dei de ombros e ele abriu a porta de trás na mesma hora em que meu pai destrancou o carro.

Lá dentro, ele se inclinou entre os bancos da frente e disse:

— Peter Van Houten: Romancista Emérito e Desapontador Semiprofissional.

Meus pais se apresentaram. Ele os cumprimentou com um aperto de mão. Eu estava bastante surpresa pelo fato de o Peter Van Houten ter voado meio mundo para comparecer a um enterro.

— Como é que você.... — comecei, mas ele me cortou.

— Utilizei sua Internet infernal para acompanhar o obituário de Indianápolis. — Ele colocou a mão dentro do terno de linho e tirou de lá uma garrafa de uísque de 750 ml.

— E simplesmente comprou uma passagem de avião e...

Ele me interrompeu de novo enquanto desenroscava a tampa.

— Paguei 15 mil por uma passagem de primeira classe, mas sou suficientemente capitalizado para me dar a esses luxos. E as bebidas no voo são de graça. Dependendo da sua ambição, dá quase para ficar no zero a zero.

O Van Houten deu uma golada no uísque e depois chegou o corpo para a frente, a fim de oferecê-lo ao meu pai, que reagiu dizendo:

— Ah, não, obrigado.

Em seguida, o Van Houten fez um gesto com a garrafa na minha direção. Eu a segurei.

— Hazel — minha mãe disse, mas eu desenrosquei a tampa e bebi um pouco.

Aquilo fez meu estômago se sentir como meus pulmões.

Entreguei a garrafa de volta para o Van Houten, que entornou um bocado para dentro e falou:

— Então. *Omnis cellula e cellula*.

— Hein?

— Seu namorado Waters e eu nos correspondemos um pouquinho, e em sua última...

— *Peraí*, você lê cartas de fãs agora?

— Não, ele mandou a carta para a minha casa, e não através do meu editor. E eu não poderia chamá-lo de fã. Ele me desprezava. Mas, de qualquer forma, ele insistiu muito no fato de que eu seria absolvido de meu mau comportamento se comparecesse ao enterro dele e dissesse a você o que acontece com a mãe da Anna. Então, aqui estou, e eis sua resposta: *Omnis cellula e cellula*.

— O quê? — perguntei de novo.

— *Omnis cellula e cellula* — ele falou mais uma vez. — Toda célula procede de outra célula. Toda célula nasce de uma que a antecede, que se formou a partir de uma anterior. A vida procede da vida. Vida gera vida gera vida gera vida gera vida.

Chegamos ao pé da ladeira.

— Tá. Então tá — falei.

Eu não estava com disposição para aturar aquilo. O Peter Van Houten não ia desviar todas as atenções para ele no enterro do Gus. Eu não o deixaria fazer isso.

— Obrigada — falei. — Bem, acho que já chegamos à base da ladeira.

— Você não quer ouvir uma explicação para isso? — ele perguntou.

— Não. Estou satisfeita. O que eu acho é que você é um alcoólatra patético que fala coisas difíceis para chamar a atenção como se fosse um garoto de onze anos precoce, e eu sinto muita pena de você. Mas, pois é, não, você não é mais o cara que escreveu *Uma aflição imperial*, por isso não poderia escrever a continuação dele mesmo se quisesse. Mas obrigada, mesmo assim. Tenha uma vida excelente.

— Mas...

— Obrigada pelo goró — falei. — Agora saia do carro.

Ele estava com aquela expressão de criança sendo repreendida. O papai havia parado o carro e nós ficamos ali parados abaixo do túmulo do Gus por um minuto até que o Van Houten abriu a porta e, finalmente em silêncio, saiu.

Enquanto nos afastávamos com o carro, olhei pela janela traseira e o vi dar um gole na bebida e levantar a garrafa na minha direção, como se estivesse brindando a mim. Os olhos dele estavam muito tristes. Tive um pouco de pena, para ser sincera.

Por fim, chegamos de volta à nossa casa perto das seis, e eu estava exausta. Só queria dormir, mas mamãe me fez comer um pouco de macarrão com queijo. Pelo menos ela deixou que eu comesse na cama. Dormi algumas horas com o BiPAP. Acordar foi um horror, porque, por um momento de desorientação, tive a sensação de que tudo estava bem, mas logo depois me senti sendo esmagada de novo. Mamãe me tirou do BiPAP, eu me conectei a um cilindro portátil e segui aos trancos e barrancos até o meu banheiro para escovar os dentes.

Ao me olhar no espelho enquanto escovava os dentes, fiquei pensando que existiam dois tipos de adultos: os Peter Van Houtens — criaturas desprezíveis que varriam a Terra à procura de algo a que magoar, e pessoas como meus pais, que andavam de um lado para outro como zumbis, fazendo o que quer que tivessem de fazer para continuar andando de um lado para outro.

Nenhum desses futuros me pareceu particularmente almejável. Eu me sentia como se já tivesse visto tudo o que há de mais puro e bom no mundo e começava a suspeitar de que, mesmo se a morte não tivesse atrapalhado o andar da carruagem, o tipo de amor que eu e o Augustus compartilhamos não teria durado. *Assim a aurora se transforma em dia*, o poeta escreveu. *Nada que é dourado fica.*

Alguém bateu na porta do banheiro.

— Está ocupado — falei.

— Hazel — meu pai disse. — Posso entrar?

Não respondi, mas depois de um tempo destranquei a porta. E me sentei no vaso sanitário com a tampa fechada. Por que o ato de respirar precisava ser tão trabalhoso? Papai se ajoelhou ao meu lado. Ele segurou minha cabeça, puxou-a até encostar no ombro dele, e disse:

— Sinto muito pela morte do Gus.

Eu me senti meio que sufocada pela camisa de malha dele, mas a sensação de ser segurada com tanta intensidade era boa demais, aninhada no cheiro familiar do meu pai. Era quase como se ele estivesse com raiva ou coisa assim, e gostei disso, porque eu também estava.

— É tudo uma grande palhaçada — ele disse. — A coisa toda. Uma taxa de sobrevivência de oitenta por cento e ele está nos vinte por cento? Palhaçada. Ele era um garoto tão brilhante! É uma palhaçada. Odeio isso. Mas com certeza foi um privilégio poder amar o Gus, não foi?

Fiz que sim com a cabeça, encostada na camisa dele.

— Isso lhe dá uma ideia de como me sinto em relação a você — ele disse.

Meu velho e amado pai. Sempre sabia a coisa certa a dizer.

CAPÍTULO VINTE E TRÊS

Alguns dias depois, me levantei por volta do meio-dia e fui de carro até a casa do Isaac. Ele mesmo veio abrir a porta.
— Minha mãe levou o Graham ao cinema — ele disse.
— Nós deveríamos fazer alguma coisa — falei.
— Essa alguma coisa pode ser jogar *videogames* para cegos no sofá?
— É, essa é exatamente a alguma coisa que eu tinha em mente.

Então ficamos sentados ali umas duas horas juntos, falando com a tela, navegando por uma caverna labiríntica invisível sem um lúmen de luz sequer. A parte mais divertida do jogo era, de longe, tentar fazer o computador estabelecer um diálogo engraçado com a gente:

Eu: "Encoste na parede da caverna."

Computador: "Você encosta na parede da caverna. Ela está úmida."

Isaac: "Lamba a parede da caverna."

Computador: "Não compreendo. Fale de novo?"

Eu: "Dê um amasso na parede úmida da caverna."

Computador: "Você tenta dar um passo. Você bate com a cabeça."

Isaac: "Não é *dê um passo*. É DÊ UM AMASSO."

Computador: "Não compreendo."

Isaac: "Cara, eu tenho estado sozinho nesta caverna escura há várias semanas e preciso me aliviar. DÊ UM AMASSO NA PAREDE DA CAVERNA."

Computador: "Sua tentativa de dar um pass..."

Eu: "Pressione a pélvis contra a parede da caverna."

Computador: "Não com..."

Isaac: "Faça amor com a caverna."

Computador: "Não com..."

Eu: "*TÁ BEM*. Siga pelo ramo esquerdo."

Computador: "Você segue pelo ramo esquerdo. A passagem se estreita."

Eu: "Engatinhe."

Computador: "Você engatinha noventa metros. A passagem se estreita."

Eu: "Rasteje como uma cobra."

Computador: "Você rasteja como uma cobra por trinta metros. Um fio de água percorre seu corpo. Você alcança um monte de pedrinhas que bloqueiam o caminho."

Eu: "Posso dar um amasso na caverna agora?"

Computador: "Você não pode dar um passo sem ficar de pé primeiro."

Isaac: "Eu não gosto de viver num mundo sem o Augustus Waters."

Computador: "Não compreendo..."

Isaac: "Eu também não. Pausa."

Ele largou o controle no sofá, entre nós dois, e perguntou:

— Você sabe se ele sofreu, e tal?

— Acho que fez um esforço enorme para respirar — falei — e acabou ficando inconsciente, mas parece que, é, não foi muito legal nem nada. Morrer é uma droga.

— É — o Isaac falou. E, depois de algum tempo: — É que parece tão impossível...

— Acontece o tempo todo — falei.

— Você está com raiva — ele disse.

— É.

Nós dois ficamos ali sentados por um bom tempo, numa boa, e eu fiquei pensando no início de tudo no Coração Literal de Jesus, quando o Gus nos disse que tinha medo do esquecimento e eu falei que ele estava com medo de algo universal e inevitável, e que, na verdade, o problema não é o sofrimento nem o esquecimento em si, mas a ausência imoral de sentido nisso tudo, o niilismo absolutamente inumano do sofrimento. Pensei no meu pai me dizendo que o universo quer ser notado. Mas o que nós queremos é ser notados pelo universo, fazer com que o universo dê alguma bola para o que acontece com a gente — não a ideia coletiva de vida senciente, mas cada um de nós, como indivíduos.

— O Gus amava você de verdade, sabe — ele falou.

— Sei.

— Ele não conseguia parar de falar nisso.

— Eu sei.

— Era irritante.

— Eu não achava irritante — falei.

— Ele chegou a te dar aquela coisa que ele estava escrevendo?

— Que coisa?

— A continuação, ou sei lá o quê, daquele livro que você gostava.

Eu me virei para o Isaac.

— O quê?

— Ele disse que estava escrevendo alguma coisa para você mas que não era bom escritor.

— Quando foi que ele disse isso?

— Sei lá. Foi, tipo, em algum momento depois da volta de Amsterdã.

— Em que momento? — pressionei-o.

Será que Gus não teve a chance de completar? Será que tinha terminado e deixado no computador ou algo assim?

— Humm — o Isaac suspirou. — Humm. Não sei. Nós falamos disso aqui, uma vez. Ele estava aqui, tipo... é, nós mexemos na minha máquina de *e-mails* e eu tinha acabado de receber um *e-mail* da minha avó. Posso procurar na máquina se você...

— Tá, tá, cadê?

Ele tinha falado daquilo um mês atrás. Um mês! Não um bom mês, devo reconhecer, mas ainda assim um mês. Era tempo suficiente para ter conseguido escrever pelo menos *alguma coisa*. Ainda havia algo dele, ou pelo menos feito por ele, flutuando por aí. E eu precisava daquilo.

— Vou até a casa dele — falei para o Isaac.

Andei apressada até a minivan e arrastei o carrinho do oxigênio para o banco do carona. Liguei o carro. Uma batida de *hip-hop* começou a tocar alto no som e, quando estiquei a mão para mudar de estação, alguém começou a cantarolar um *rap*. Em sueco.

Eu me virei e gritei quando vi o Van Houten no banco de trás.

— Peço desculpas por alarmá-la — o Peter Van Houten disse, sua voz se misturando com o som do *rap*.

Ele ainda estava com o terno que tinha usado no enterro, quase uma semana depois. Seu cheiro era de quem tinha álcool saindo pelos poros junto com o suor.

— Você pode ficar com o CD — ele disse. — É o Snook. Na Suécia ele é um dos maiores....

— Ai ai ai ai SAIA DO MEU CARRO.

Desliguei o rádio.

— Este carro é da sua mãe, se bem entendi — ele disse. — Além disso, não estava trancado.

— Ai, meu Deus! Saia do carro senão vou chamar a polícia. Cara, qual é o seu *problema*?

— Se pelo menos houvesse só um — ele divagou. — Só estou aqui para pedir desculpas. Você estava certa quando observou, anteriormente, que sou um homem patético e dependente do álcool. Uma conhecida minha só passava algum tempo comigo porque eu a pagava para fazê-lo. E o pior é que ela se demitiu, deixando-me, a alma rara que não consegue companhia nem mediante suborno. É tudo verdade, Hazel. Tudo isso e muito mais.

— Tá — falei.

Teria sido um discurso mais tocante se ele não tivesse engrolado as palavras.

— Você me lembra a Anna.

— Eu lembro muita gente a muita gente — respondi. — Realmente preciso ir.

— É só dirigir — ele disse.

— Saia.

— Não. Você me lembra a Anna — ele disse de novo.

Depois de um segundo, engatei a marcha à ré e comecei a andar com o carro. Eu não estava conseguindo fazê-lo sair, e não precisava continuar tentando. Iria até a casa do Gus e os pais do Gus o fariam ir embora.

— Obviamente você está familiarizada — o Van Houten disse — com Antonietta Meo.

— Não — falei.

Liguei o rádio e o *hip-hop* sueco tocou alto, mas o Van Houten gritou mais alto ainda.

— Ela poderá se tornar, em breve, a santa não mártir mais jovem a ser beatificada pela Igreja Católica. Teve o mesmo câncer que o Sr. Waters, osteossarcoma. Eles amputaram a perna direita dela. A dor era excruciante. Enquanto Antonietta Meo estava à beira da morte, na tenra idade de seis anos, por causa desse câncer agonizante, disse para o pai: "A dor é como um tecido. Quanto mais forte, mais valioso." Isso é verdade, Hazel?

Eu não estava olhando diretamente para ele, mas para seu reflexo no espelho.

— Não — gritei mais alto que a música. — Isso é bobagem.

— Mas você não gostaria que fosse verdade? — ele gritou em resposta.

Eu desliguei o som.

— Sinto muito por ter estragado sua viagem. Vocês eram tão jovens... Vocês eram...

Ele começou a chorar. Como se tivesse algum direito de chorar pela morte do Gus. O Van Houten era apenas mais um dos diversos pranteadores que não o conheciam, mais um lamento que chegou tarde demais em seu mural.

— Você não estragou nossa viagem, seu filho da mãe convencido. Nossa viagem foi maravilhosa.

— *Estou tentando* — ele disse. — *Estou tentando, juro.*

Foi mais ou menos nessa hora que acabei me dando conta de que o Peter Van Houten tinha perdido alguém da família. Pensei na honestidade com a qual ele havia escrito a respeito de crianças com câncer; no fato de não ter conseguido falar comigo e só perguntado se eu tinha me vestido como a Anna de propósito; toda aquela baboseira que ele jogou para cima de mim e do Augustus; a pergunta dolorosa dele sobre a relação entre a gravidade da dor e seu valor. Ele chegou o corpo para trás e continuou sentado, bebendo, um velho que vinha bebendo havia vários anos. Lembrei de uma estatística que preferia não conhecer: metade dos casamentos terminam no ano que se segue à morte de um filho. Olhei para trás, para o Van Houten. Eu estava percorrendo a Avenida College, aí encostei atrás de uma fileira de carros estacionados e perguntei.

— Você teve um filho que morreu?

— Minha filha — ele disse. — Tinha oito anos. Sofreu lindamente. Nunca será beatificada.

— Ela teve leucemia? — perguntei.

Ele fez que sim com a cabeça.

— Como a Anna — falei.

— Sim, exatamente como a Anna.

— Você era casado?

— Não. Bem, não quando ela morreu. Eu me tornei uma pessoa insuportável muito antes de nós a perdermos. A tristeza não nos muda, Hazel. Ela nos revela.

— Você morava com ela?

— Não, não no início, embora no fim nós a tenhamos levado para Nova York, onde eu estava morando, para uma série de torturas experimentais que aumentaram o sofrimento de seus dias sem aumentá-los em número.

Depois de um segundo, eu falei:

— Então é como se você tivesse dado a ela uma segunda vida na qual conseguiu chegar à adolescência.

— Suponho que essa seja uma avaliação razoável — ele disse, e então logo acrescentou: — Presumo que você esteja familiarizada com o exercício mental de Philippa Foot intitulado "dilema do bonde"?

— E aí eu apareço na sua casa, vestida como a menina que você esperava que ela viveria para se tornar, e você fica, tipo, desconcertado.

— Em determinada linha, há um bonde desgovernado — ele disse.

— Não dou a mínima para o seu exercício mental idiota — falei.

— É o exercício da Philippa Foot, na verdade.

— Bem, nem para o dela.

— Ela não entendia por que aquilo estava acontecendo — ele disse. — Tive de contar para ela que iria morrer. A assistente social falou que eu precisava contar. Precisei lhe dizer que iria morrer, então falei que ela iria para o céu. Ela perguntou se eu estaria lá, então respondi que não, não naquele momento. Mas algum dia, ela quis saber, e prometi que sim, claro, muito em breve. E falei que naquele ínterim haveria uma ótima família lá em cima que tomaria conta dela. Ela me perguntou quando eu iria para lá, e respondi que seria logo. Vinte e dois anos atrás.

— Sinto muito.

— Eu também.

Depois de um tempo, perguntei:

— O que aconteceu com a mãe dela?

Ele sorriu.

— Você ainda está em busca de uma continuação, sua danadinha.

Sorri também.

— Você deveria voltar para casa — falei para ele. — Fique sóbrio. Escreva outro livro. Faça aquilo no qual você é bom. Nem todo mundo tem essa sorte de ser bom em alguma coisa.

Ele ficou olhando fixamente para mim pelo espelho durante um bom tempo.

— Certo — ele disse. — Está bem. Você tem razão. Você tem razão.

Mas, mesmo ao dizer isso, tirou do bolso a garrafa de uísque quase vazia. Bebeu, recolocou a tampa na garrafa e abriu a porta.

— Tchau, Hazel.

— Fique bem, Van Houten.

Ele se sentou no meio-fio atrás do carro. Enquanto eu o via encolher pelo espelho retrovisor, ele pegou a garrafa e por um instante pareceu que iria deixá-la no meio-fio. Mas então tomou outro gole.

Era uma tarde quente em Indianápolis, o ar carregado e estático como se estivéssemos dentro de uma nuvem. Era o pior tipo de ar para mim, e tentei me convencer de que era só o ar quando a caminhada da entrada de veículos até a porta da casa do Gus pareceu infinita. Toquei a campainha e a mãe dele abriu a porta.

— Ah, Hazel — ela disse, e me abraçou chorando.

Ela me fez acompanhá-la e ao pai do Gus comendo um pouco de lasanha de berinjela — acho que muita gente tinha levado comida até lá, e tal.

— Como você está?

— Sinto falta dele.

— É.

Eu não sabia bem o que dizer. Tudo o que queria era ir lá embaixo e procurar o que quer que ele tivesse escrito para mim. Além disso, o silêncio naquele ambiente realmente me incomodava. Queria que eles estivessem conversando um com o outro, se consolando ou de mãos dadas ou sei lá. Mas eles só ficavam lá sentados, comendo porções muito pequenas de lasanha, sem nem se dirigir o olhar.

— O céu precisava de um anjo — o pai dele disse depois de um tempo.

— Eu sei — falei.

Aí as irmãs dele e seus filhos bagunceiros chegaram e invadiram a cozinha. Eu me levantei e as abracei, e depois fiquei vendo as crianças correrem pela cozinha com seu excesso extremamente necessário de barulho e movimento, moléculas excitadas se chocando umas contra as outras e gritando.

Tá com você não tá com você não estava comigo mas aí eu peguei você você não me pegou você nem chegou a encostar em mim então estou pegando você agora não seu bundão porque agora nós estamos dando um tempo DANIEL NÃO CHAME SEU IRMÃO DE BUNDÃO Mãe se eu não posso dizer essa palavra por que você acabou de falar bundão bundão — e então, em coro, *bundão bundão bundão bundão*, e, à mesa, os pais do Gus estavam agora de mãos dadas, o que me fez sentir um pouco melhor.

— O Isaac me disse que o Gus estava escrevendo uma coisa, uma coisa para mim — falei.

As crianças ainda estavam cantando o melô do bundão.

— Podemos dar uma olhada no computador dele — a mãe do Gus disse.

— Ele não usou muito o computador nas últimas semanas — falei.

— É verdade. Não tenho nem certeza se o trouxemos aqui para cima. Ainda está no porão, Mark?

— Não faço ideia.

— Bem — falei —, será que posso...

Fiz um gesto com a cabeça na direção do porão.

— Ainda não estamos preparados — o pai dele disse. — Mas, claro que sim, Hazel. É claro que você pode.

Andei até lá embaixo, passei pela cama desarrumada, pelas poltronas do *videogame* abaixo da TV. O computador dele ainda estava ligado. Cliquei no *mouse* para ativá-lo e então procurei pelos arquivos editados mais recentemente. Nada no último mês. A coisa mais recente era uma resenha do livro *O olho mais azul*, de Toni Morrison.

Talvez ele tivesse escrito algo à mão. Andei até as prateleiras de livros, procurando um diário ou bloco ou caderno. Nada. Folheei o exemplar dele do *Uma aflição imperial*. O Gus não havia deixado uma marquinha sequer no livro.

Em seguida andei até a mesa de cabeceira. *Mayhem infinito*, o nono volume da série "O preço do alvorecer", estava em cima da mesa ao lado do abajur, a página 138 com uma orelha dobrada.

Ele nem conseguiu chegar ao fim do livro.

— Para acabar com o suspense: o Mayhem sobrevive — falei alto, caso ele conseguisse me ouvir.

E aí eu deitei na cama desarrumada, me enrolando no edredom como um casulo, me envolvendo no cheiro dele. Tirei a cânula para poder sentir melhor aquele cheiro, inspirando e expirando o Gus, o aroma já se dissipando mesmo enquanto eu ainda estava deitada lá, meu peito queimando até eu não poder diferenciar as dores.

Eu me sentei na cama depois de um tempo, reinseri minha cânula e respirei por alguns minutos antes de subir as escadas. Só o que fiz foi balançar a cabeça negativamente em resposta aos olhares de expectativa dos pais dele. As crianças passaram por mim correndo. Uma das irmãs do Gus, eu não sabia ainda dizer quem era quem, falou:

— Mãe, você quer que eu os leve para o parque ou algo assim?

— Não, não, está tudo bem.

— Há algum outro lugar no qual o Gus possa ter colocado um bloco ou caderno? Tipo, ao lado da cama de hospital, quem sabe?

A cama já tinha sido retirada de lá, como requisitado pelo hospital.

— Hazel — o pai dele falou —, você esteve aqui conosco todos os dias... ele não ficava muito tempo sozinho, querida. Não teria tido tempo de escrever nada. Sei que você quer... Quero isso também. Mas as mensagens que ele nos deixa agora estão vindo lá de cima, Hazel.

Ele apontou para o teto, como se o Gus estivesse pairando sobre a casa. Talvez estivesse. Não sei. Mas não conseguia sentir a presença dele.

— É — falei.

Prometi visitá-los novamente dali a alguns dias.

Nunca mais senti o cheiro dele de novo.

CAPÍTULO VINTE E QUATRO

Três dias depois, no terceiro dia DG, o pai do Gus me ligou de manhã. Eu ainda estava conectada ao BiPAP, por isso não atendi, mas ouvi o recado deixado na caixa postal assim que o celular apitou avisando do recebimento.

"Hazel, oi, aqui é o pai do Gus. Eu achei um Moleskine preto no revisteiro que estava do lado da cama de hospital, acho que próximo o suficiente para ele alcançá-lo. Infelizmente não há nada escrito nele. As páginas estão todas em branco. Mas as primeiras, acho que umas três ou quatro, foram arrancadas. Vasculhamos a casa toda à procura delas, mas não as encontramos. Por isso não sei o que pensar. Mas talvez fosse a essas páginas que o Isaac estava se referindo. De qualquer forma, espero que esteja bem. Você está em nossas orações todos os dias, Hazel. Então, tá. Um beijo. Tchau."

Três ou quatro páginas arrancadas de um Moleskine e que não estavam mais na casa do Augustus Waters. Onde ele as teria deixado para mim? Presas com fita adesiva nos *Ossos Maneiros*? Não, ele não estava em condições de ir até lá.

O Coração Literal de Jesus. Talvez ele tivesse deixado as páginas lá para mim no seu Último Dia Bom.

Por causa disso, saí para ir ao Grupo de Apoio no dia seguinte vinte minutos mais cedo. Fui dirigindo até a casa do Isaac, ele entrou no carro e nós seguimos para o Coração Literal de Jesus com as janelas da *minivan* abertas, ouvindo o novo álbum do The Hectic Glow, recentemente disponibilizado na rede. Que o Gus nunca ouviria.

Pegamos o elevador. Guiei o Isaac até uma cadeira na Roda da Esperança e depois fui percorrendo vagarosamente todo o Coração Literal. Olhei em todos os lugares: debaixo das cadeiras, em volta do púlpito atrás do qual eu tinha ficado enquanto lia meu elogio fúnebre, debaixo da mesa de biscoitos, no quadro de avisos cheio de desenhos do amor divino feitos pelas crianças que frequentavam a escola dominical. Nada. Aquele foi o único lugar onde tínhamos estado juntos nos últimos dias, além da casa dele. Ou as páginas não estavam ali ou eu estava esquecendo de procurar em algum lugar. Talvez ele as tivesse deixado para mim no hospital, mas, se fosse esse o caso, elas com certeza foram jogadas fora depois da morte dele.

Eu estava realmente sem fôlego quando, por fim, me sentei numa cadeira ao lado do Isaac, e me dediquei, durante todo o depoimento da ausência de bolas do Patrick, a dizer a meus pulmões que eles estavam bem, que podiam respirar, que havia oxigênio suficiente. O líquido deles havia sido drenado uma semana antes da morte do Gus. Fiquei vendo a água cancerosa cor de âmbar pingar para fora de mim pelo tubo. E mesmo assim tinha a sensação de que estavam cheios de novo. Fiquei tão concentrada em dizer a mim mesma para respirar que, num primeiro momento, não reparei que o Patrick tinha dito o meu nome.

Retomei a atenção num estalo.

— Sim? — perguntei.

— Como você está?

— Estou bem, Patrick. Um pouco sem fôlego.

— Gostaria de compartilhar com o grupo uma lembrança que tem do Augustus?

— Eu só queria poder morrer, Patrick. Alguma vez você já sentiu vontade de simplesmente morrer?

— Já — o Patrick disse, sem fazer a pausa costumeira. — Já, é claro. Então por que você não morre?

Pensei naquilo. Minha resposta, retirada de um estoque antigo, era que eu queria continuar viva pelos meus pais, porque eles ficariam arrasados e sem filhos depois de mim, e aquilo ainda era meio verdade, mas não era bem isso, exatamente.

— Não sei.

— Porque você tem esperança de melhorar?

— Não — falei. — Não, não é isso. Eu realmente não sei. Isaac? — passei a bola.

Estava cansada de falar.

O Isaac começou a falar do amor verdadeiro. Eu não poderia dizer a eles o que tinha em mente porque soava brega, mas o que eu estava pensando era no universo querendo ser notado e em como eu havia reparado nele da melhor forma possível. Eu me sentia em dívida com o universo, uma dívida que só a minha atenção poderia saldar, e, além disso, me sentia em dívida com todo mundo que deixou de ser uma pessoa e com todo mundo que ainda não tinha chegado a ser uma pessoa. Tudo o que meu pai tinha me dito, basicamente.

Fiquei em silêncio até o fim da reunião do Grupo de Apoio, o Patrick me dedicou uma oração especial, o nome do Gus foi adicionado à longa lista de mortos — quatorze para cada um de nós — todos prometemos viver o melhor da nossa vida hoje, e aí eu levei o Isaac para o carro.

Quando cheguei de volta à minha casa, mamãe e papai estavam à mesa de jantar, cada um com seu *laptop*, e assim que entrei pela porta mamãe fechou a tampa do dela.

— O que tem no computador?
— Só algumas receitas antioxidantes. Preparada para o Bi-PAP e para o *America's Next Top Model*? — ela perguntou.
— Só vou me deitar um minuto.
— Você está bem?
— Estou, só um pouco cansada.
— Bem, você precisa comer antes de...
— Mãe, eu não estou com a menor fome.

Dei um passo na direção da porta, mas ela me parou.
— Hazel, você precisa comer. Só um pouco de...
— Não. Estou indo deitar.
— Não — mamãe falou. — Você não vai.

Olhei para o meu pai, que só deu de ombros.
— É a minha vida — falei.
— Você não vai ficar com fome até morrer só porque o Augustus se foi. Você vai jantar.

Fiquei muito irritada, por algum motivo.
— Eu não consigo comer, mãe. Não consigo. Tá?

Tentei passar por ela, mas a mamãe me segurou pelos ombros e disse:
— Hazel, você vai jantar. Você precisa se manter saudável.
— NÃO! — gritei. — Não vou jantar e não posso me manter saudável porque não sou saudável. Estou morrendo, mãe. Vou morrer e deixar você aqui sozinha, e você não vai mais ter uma "eu" para pairar em torno, e você não vai mais ser mãe, e eu sinto muito, mas não há nada que eu possa fazer a respeito, tá?!

Eu me arrependi de ter dito aquilo assim que fechei a boca.
— Você ouviu o que eu disse.
— O quê?
— Você ouviu quando eu disse isso ao seu pai? — Ela arregalou os olhos. — Você escutou? — Eu fiz que sim. — Ai, meu Deus, Hazel. Sinto muito. Eu estava errada, querida. Aquilo não era verdade. Eu falei num momento de desespero. Não

é algo em que eu acredite — ela disse e se sentou, e eu me sentei junto.

Fiquei pensando que deveria simplesmente ter vomitado algum macarrão por ela, em vez de ter ficado tão irritada.

— Em que você acredita, então? — perguntei.

— Enquanto uma de nós estiver viva, eu serei sua mãe — ela falou. — Mesmo se você morrer, eu...

— Quando — falei.

Ela assentiu com a cabeça.

— Mesmo quando você morrer, eu ainda serei sua mãe, Hazel. Não vou deixar de ser sua mãe. Você deixou de amar o Gus?

Balancei a cabeça negativamente.

— Bem, então como eu poderia deixar de amar você?

— Tá — falei.

Meu pai começou a chorar.

— Eu quero que vocês vivam a vida de vocês — continuei. — Eu fico com medo de vocês não terem uma vida para viver, de ficarem sentados aqui o dia todo sem um "eu" para cuidar, olhando para as paredes, querendo dar o fora.

Depois de um minuto, a mamãe disse:

— Eu estou fazendo um curso. A distância, da Universidade de Indiana. Para obter um diploma de mestrado em serviço social. Na verdade, eu não estava lendo receitas de antioxidantes; estava fazendo um trabalho do curso.

— Sério?

— Não quero que pense que estou imaginando um mundo sem você. Mas se conseguir o mestrado poderei ajudar famílias que estejam em momentos difíceis ou liderar grupos que lidam com as doenças dos familiares deles ou...

— *Peraí*, você vai virar um Patrick?

— Bem, não exatamente. Existem vários tipos de trabalho de assistência social.

Papai falou:

— Nós dois ficamos preocupados achando que você poderia se sentir abandonada. É importante que você saiba que *sempre* estaremos aqui para você, Hazel. Sua mãe não vai a lugar algum.

— Não, isso é ótimo. Isso é fantástico! — Eu estava sorrindo de verdade. — A mamãe vai virar um Patrick. Ela vai ser um ótimo Patrick! Ela vai ser tão melhor nisso que o Patrick!

— Obrigada, Hazel. Isso significa muito para mim.

Eu balancei a cabeça. E comecei a chorar. Não consegui conter a felicidade que estava sentindo, chorando lágrimas verdadeiras de felicidade pela primeira vez em sei lá quanto tempo, imaginando minha mãe como um Patrick. Aquilo me fez pensar na mãe da Anna. Ela também teria dado uma ótima assistente social.

Depois de um tempo, ligamos a TV e assistimos ao *ANTM*. Mas dei uma pausa no programa cinco segundos após o início porque tinha várias perguntas a fazer para a mamãe.

— Quanto falta para você terminar o curso?

— Se eu for a Bloomington e passar uma semana lá nesse verão, pode ser que consiga terminar em dezembro.

— Há quanto tempo exatamente você vem escondendo isso de mim?

— Há um ano.

— *Mãe.*

— Eu não queria magoar você, Hazel.

Incrível.

— Então, quando você está esperando por mim do lado de fora do MCC ou do Grupo de Apoio ou sei lá o quê, você está sempre...

— Estou. Fazendo trabalhos ou lendo.

— Isso é tão maravilhoso! Quando eu morrer, quero que você saiba que estarei suspirando para você lá do céu cada vez que pedir a alguém que compartilhe seus sentimentos.

Meu pai riu.

— E eu vou estar com você, filha — ele me garantiu.

Por fim, assistimos ao *ANTM*. O papai fez um esforço enorme para não morrer de tédio e toda hora confundia quem era quem entre as garotas, e perguntava:

— Nós gostamos dessa?

— Não, não. Nós odiamos a Anastasia. Nós gostamos da Antonia, a outra loira — a mamãe explicou.

— Elas todas são altas e horríveis — papai retrucou. — Perdão por não conseguir distingui-las.

Papai esticou o braço por cima do meu colo para pegar a mão da mamãe.

— Vocês acham que vão continuar juntos se eu morrer? — perguntei.

— Hazel, o quê? Querida. — A mamãe procurou o controle remoto e deu uma pausa na TV de novo. — O que a preocupa?

— É só que, vocês acham que vão continuar juntos?

— Sim, é claro. É claro — o papai disse. — Sua mãe e eu nos amamos, e se perdermos você, vamos enfrentar isso juntos.

— Jure por Deus — falei.

— Eu juro por Deus — ele disse.

Olhei para a mamãe.

— Juro por Deus — ela concordou. — Mas por que é que você está preocupada com isso?

— Só não quero estragar a vida de vocês nem nada.

A mamãe se inclinou para a frente e encostou o rosto no meu cabelo bagunçado, me beijando no alto da cabeça.

Falei para o papai:

— Não quero que você se torne um alcoólatra desempregado e patético ou coisa assim.

Minha mãe sorriu.

— Seu pai não é o Peter Van Houten, Hazel. Você, mais que qualquer pessoa, sabe que é possível conviver com a dor.

— É, tá — falei, e mamãe me abraçou, e eu deixei que ela fizesse isso, mesmo, no fundo, não querendo.

— Tá, você pode dar *play* agora — falei.

A Anastasia foi eliminada. Ela fez um escândalo. Foi incrível.

Comi um pouco no jantar, *farfalle* com molho *pesto*, e consegui fazer com que a comida continuasse dentro de mim.

CAPÍTULO VINTE E CINCO

Acordei na manhã seguinte em pânico porque tinha sonhado que estava sozinha, dentro de um lago enorme, sem um barco. Levantei no susto, puxando o BiPAP com força para a frente, e senti a mão da mamãe em mim.

— Oi, você está bem?

Meu coração estava disparado, mas fiz que sim com a cabeça. Mamãe falou:

— A Kaitlyn está ao telefone e quer falar com você.

Apontei para o BiPAP. Ela me ajudou a tirá-lo e me conectou ao Felipe. Só então peguei o celular da mão da mamãe e disse:

— Oi, Kaitlyn.

— Só liguei para saber como está tudo — ela disse. — Para ver como você está indo.

— Ah, obrigada. Estou indo bem.

— Você simplesmente teve um azar enorme, amada. Isso é tão *desarrazoado*!

— Talvez — falei.

Eu não pensava muito mais na minha sorte ou no meu azar. Na verdade, não queria falar com a Kaitlyn sobre nada, mas ela insistia em puxar assunto.

— E então, como foi? — ela perguntou.
— Como foi a morte do meu namorado? Humm, uma droga.
— Não — ela falou. — Estar apaixonada.
— Ah — falei. — Ah. Foi... foi legal passar um tempo com alguém tão interessante. Nós éramos muito diferentes, e discordávamos em muitas coisas, mas ele era sempre tão interessante, sabe?
— Ai de mim, não sei. Os garotos que eu conheço são extremamente desinteressantes.
— Ele não era perfeito nem nada. Ele não era um príncipe encantado de conto de fadas, e tal. Tentava ser assim às vezes, mas eu gostava mais dele quando essas coisas desapareciam.
— Você tem, tipo, um álbum com as fotos e as cartas que ele escreveu?
— Tenho algumas fotos, mas ele nunca chegou a me escrever nenhuma carta. Exceto, bem, há algumas páginas faltando no caderninho dele que podem ter sido algo para mim, mas acho que ele as jogou fora ou elas se perderam ou coisa assim.
— Talvez ele tenha mandado essas páginas pelo correio para você — ela disse.
— Não, elas já teriam sido entregues aqui.
— Então talvez não tenham sido escritas para você — ela falou. — Talvez... Quer dizer, não quero deixar você deprimida nem nada, mas talvez ele as tenha escrito para outra pessoa e colocado no correio...
— VAN HOUTEN! — gritei.
— Você está bem? Isso foi uma tosse?
— Kaitlyn, eu te amo. Você é um gênio. Tenho que ir agora.

Desliguei o telefone, rolei para o lado, peguei o *laptop*, apertei o botão de ligar e então escrevi um *e-mail* endereçado a lidewij.vliegenthart.

Lidewij,

Acredito que o Augustus Waters tenha enviado algumas páginas do caderninho dele para o Peter Van Houten logo antes de ele (o Augustus) morrer. É muito importante para mim que alguém leia essas páginas. Eu quero lê-las, claro, mas talvez elas não tenham sido escritas para mim. De qualquer forma, têm de ser lidas. Precisam ser lidas.
Você poderia me ajudar com isso?

Sua amiga,
Hazel Grace Lancaster

Ela respondeu no fim daquela tarde.

Querida Hazel,

Eu não sabia que o Augustus tinha morrido. Fiquei muito triste ao saber do acontecido. Ele era um jovem muito carismático. Sinto tanto. Estou tão triste.
    Não falei com o Peter desde que me demiti, naquele dia em que nos conhecemos. Está muito tarde aqui agora, mas irei até a casa dele amanhã cedo a fim de procurar essa carta e forçá-lo a lê-la. As manhãs costumavam ser a melhor hora para falar com ele.

Sua amiga,
Lidewij Vliegenthart

PS: Levarei meu namorado comigo, para o caso de termos de conter o Peter fisicamente.

· · ·

Fiquei me perguntando por que ele teria escrito para o Van Houten naqueles últimos dias em vez de para mim, dito que ele só seria absolvido se me desse a minha continuação. Talvez as páginas do caderninho só repetissem seu pedido ao Van Houten. Fazia sentido, o Gus usando sua terminalidade para realizar meu sonho: a continuação da história era um algo muito pequeno pelo qual morrer, mas foi o maior que restou à sua disposição.

Atualizei meus *e-mails* sem parar aquela noite, dormi algumas horas, e então comecei a atualizar de novo lá pelas cinco da manhã. Mas não chegou nada. Tentei ver TV para me distrair, mas minha cabeça ficava viajando de volta a Amsterdã, imaginando a Lidewij Vliegenthart e o namorado percorrendo a cidade de bicicleta numa louca missão à procura da última correspondência de um garoto morto. Como seria divertido ir sacudindo na traseira da bicicleta da Lidewij Vliegenthart pelas ruas de paralelepípedo, seu cabelo vermelho e ondulado sendo soprado em meu rosto, o cheiro dos canais e da fumaça dos cigarros, todas aquelas pessoas sentadas do lado de fora dos cafés bebendo cerveja, falando suas letras "R" e "G" de um jeito que eu jamais aprenderia...

Eu sentia falta do futuro. É claro que eu sabia, muito mesmo antes da recorrência dele, que nunca envelheceria ao lado do Augustus Waters. Mas ao pensar na Lidewij e em seu namorado, eu me senti roubada. Era muito provável que eu nunca mais fosse ver o oceano de uma altura de trinta mil pés de novo, uma distância tão grande que não dá nem para distinguir as ondas, nem nenhum barco, de um jeito que faz o oceano parecer um enorme e infinito monólito. Eu poderia imaginá-lo. Eu poderia me lembrar dele. Mas não poderia vê-lo de novo, e me ocorreu que a ambição voraz dos seres humanos nunca é saciada quando os sonhos são realizados, porque há sempre a sensação de que tudo poderia ter sido feito melhor e ser feito outra vez.

E mesmo se você conseguir chegar aos noventa anos, deve dar essa mesma sensação — embora eu inveje as pessoas que têm a oportunidade de comprovar isso. Mas, pensando bem, eu já tinha vivido o dobro do tempo que a filha do Van Houten. O que ele não teria dado para ter uma filha morta aos dezesseis anos...

De repente, a mamãe estava de pé entre mim e a TV, as mãos cruzadas nas costas.

— Hazel — ela disse.

Seu tom de voz era tão grave que achei que algo estava errado.

— Sim?

— Você sabe que dia é hoje?

— Não é meu aniversário, é?

Ela riu.

— Ainda não. Hoje é dia quatorze de julho, Hazel.

— É o *seu* aniversário?

— Não...

— É o aniversário do Harry Houdini?

— Não...

— Cansei de tentar adivinhar, sério.

— É O DIA EM QUE SE COMEMORA A QUEDA DA BASTILHA!

Ela levou os braços à frente do corpo, revelando duas bandeirinhas de plástico da França e agitando-as entusiasticamente.

— Isso parece coisa inventada. Tipo o Dia da Consciência do Cólera.

— Garanto a você, Hazel: o dia da Queda da Bastilha não é uma invenção. Você sabia que há exatamente duzentos e vinte e três anos o povo da França invadiu a prisão da Bastilha para se armar e lutar por sua liberdade?

— Uau — falei. — Nós deveríamos mesmo comemorar esta data tão importante.

— Acontece que eu acabei de combinar com seu pai um piquenique no Holliday Park.

Ela nunca se cansava de tentar, a minha mãe. Empurrei o sofá com a mão e me levantei. Juntas reunimos alguns ingredientes para sanduíches e achamos uma cesta de piquenique empoeirada no armário do corredor.

O dia estava, tipo, lindo, finalmente verão de verdade em Indianápolis, quente e úmido — o tipo de clima que fazia você se lembrar, depois de um longo inverno, que ainda que o mundo não tivesse sido feito para os seres humanos, nós tínhamos sido feitos para o mundo. O papai estava esperando por nós, de terno bege, de pé na vaga para pessoas com deficiência, digitando em seu *smartphone*. Ele acenou para nós enquanto estacionávamos e depois me abraçou.

— Que dia! — ele disse. — Se morássemos na Califórnia, todos os dias seriam assim.

— É, mas aí você não daria valor a eles — minha mãe falou.

Ela estava errada, mas eu não a corrigi.

Acabamos colocando nossa toalha ao lado das Ruínas, o estranho retângulo de ruínas romanas plantado no meio de um campo em Indianápolis. Não são ruínas de verdade: são, tipo, uma recriação escultural de ruínas construída oitenta anos atrás, mas tinham sido tão malcuidadas que acabaram meio que virando ruínas de verdade por acidente. O Van Houten iria gostar das Ruínas. O Gus também.

Então nos sentamos à sombra das Ruínas e fizemos uma "boquinha".

— Você quer passar filtro solar? — a mamãe perguntou.

— Não, obrigada.

Dava para ouvir o vento balançando as folhas, e naquele vento viajavam os gritos das crianças no *playground*, a distância, descobrindo como continuar vivas, como percorrer um mundo que não foi feito para elas ao percorrer um *playground* que foi.

O papai me viu observando-as e perguntou:

— Você sente saudade de correr de um lado para outro desse jeito?

— Acho que sim, às vezes. Mas não era nisso que eu estava pensando. Só estava tentando reparar em todos os detalhes: a luz nas Ruínas arruinadas, a criancinha que mal conseguia andar descobrindo um graveto no canto do *playground*, minha infatigável mãe ziguezagueando a mostarda no sanduíche de peru dela, meu pai dando batidinhas no *smartphone* no bolso e resistindo à tentação de dar uma espiada, um cara jogando um *frisbee* que seu cachorro ficava correndo para alcançar e depois levar de volta para ele.

Quem sou eu para dizer que essas coisas podem não durar para sempre? Quem é o Peter Van Houten para afirmar como verdade a conjectura de que nossa labuta é temporária? Tudo o que eu sei sobre o paraíso e tudo o que eu sei sobre a morte está naquele parque: um universo elegante em movimento constante, pululando com ruínas arruinadas e crianças estridentes.

Meu pai começou a balançar a mão na frente do meu rosto.

— Sintonize, Hazel. Você está aí?

— Foi mal, é, o quê?

— A mamãe sugeriu que fôssemos ver o Gus.

— Ah. Tá — falei.

Então, depois do nosso almoço no parque, fomos de carro até o Cemitério Crown Hill, o último e derradeiro local de descanso de três vice-presidentes, de um presidente, e do Augustus Waters. Subimos a ladeira e estacionamos. Os carros passavam atrás de nós na Rua 38. Foi fácil achar o túmulo do Gus: era o mais novo. A terra ainda estava amontoada. Nada de lápide por enquanto.

Não senti como se ele estivesse ali nem nada, mas, mesmo assim, peguei uma das bandeirinhas ridículas da mamãe e enfiei-a no chão, ao pé do túmulo. Talvez quem passasse por ali pensasse que o Gus tinha sido um integrante da legião estrangeira francesa ou algum mercenário heroico.

A Lidewij finalmente escreveu logo depois das seis da tarde, enquanto eu estava no sofá assistindo ao mesmo tempo à televisão e a alguns vídeos no meu *laptop*. Imediatamente pude ver que havia quatro arquivos anexados ao *e-mail* e quis abri-los primeiro, mas resisti à tentação e li a mensagem.

Querida Hazel,

> O Peter estava muito bêbado quando chegamos à casa dele esta manhã, mas, de alguma forma, isso acabou tornando o nosso trabalho mais fácil. Bas (meu namorado) o distraiu enquanto eu vasculhava o saco de lixo no qual ele guarda as cartas dos fãs, mas aí eu me dei conta de que o Augustus sabia o endereço do Peter. Havia uma enorme pilha de cartas na mesa de jantar, onde logo encontrei a do Augustus. Abri o envelope e vi que estava endereçada ao Peter, por isso pedi a ele que a lesse.
> Ele se recusou.
> Fiquei com muita raiva naquela hora, Hazel, mas não gritei com o Peter. Em vez disso, falei que ele devia à filha morta a leitura da carta escrita por um garoto morto. Entreguei a carta ao Peter, ele leu tudo e disse — e aqui o cito fielmente, palavra por palavra: "Mande a carta para a menina e diga a ela que não tenho nada a acrescentar."
> Eu não li a carta, embora meu olhar tenha capturado algumas frases enquanto escaneava as páginas. Eu as anexei a este *e-mail* e depois vou

enviá-las pelo correio para a sua casa; seu endereço ainda é o mesmo?

    Que Deus te abençoe e te guarde, Hazel.

Sua amiga,
Lidewij Vliegenthart

    Cliquei e abri os quatro arquivos anexados. A letra dele estava confusa, inclinada, o tamanho variando, a cor da caneta mudando. Ele tinha escrito a carta durante vários dias, em graus de consciência variados.

Van Houten,

    Sou uma pessoa boa, mas um escritor de merda. Você é uma pessoa de merda, mas um bom escritor. Nós formaríamos uma bela equipe. Não quero lhe pedir nenhum favor, mas, se tiver tempo — e pelo que vi, você tem tempo de sobra —, fiquei me perguntando se poderia escrever um elogio fúnebre para a Hazel. Tenho algumas anotações e tudo mais, mas se você pudesse transformá-las num texto completo e coerente, e tal... Ou então só me dizer o que eu deveria escrever de forma diferente.

O bom da Hazel é o seguinte: quase todo mundo é obcecado por deixar uma marca no mundo. Transmitir um legado. Sobreviver à morte. Todos queremos ser lembrados. Eu também. É isso o que me incomoda mais, ser mais uma vítima esquecida na guerra milenar e inglória contra a doença.

Eu quero deixar uma marca.

Mas, Van Houten: as marcas que os seres humanos deixam são, com frequência, cicatrizes. Você constrói um *shopping center* medonho ou dá um golpe de Estado ou tenta se tornar um astro do *rock* e pensa: "Eles vão se lembrar de mim agora", mas: (a) eles não se lembram de você, e (b) tudo o que você deixa para trás são mais cicatrizes. Seu golpe de Estado se transforma numa ditadura. Seu *shopping center* acaba dando prejuízo.

(Tá, talvez eu não seja um escritor tão de merda assim. Mas não consigo organizar minhas ideias, Van Houten. Meus pensamentos são estrelas que eu não consigo arrumar em constelações.)

Nós somos como um bando de cães mijando em hidrantes. Nós envenenamos as águas subterrâneas com nosso mijo tóxico, marcando tudo como MEU numa tentativa ridícula de sobreviver à morte. Eu não consigo parar de mijar em hidrantes. Sei que é tolice e inútil — epicamente inútil em meu estado atual —, mas sou um animal como qualquer outro.

A Hazel é diferente. Ela anda suavemente, meu velho. Ela anda suavemente sobre a Terra. A Hazel sabe qual é a verdade: é tão provável que nós consigamos ferir o universo quanto é provável que nós o ajudemos, e é improvável que façamos qualquer uma dessas duas coisas.

As pessoas vão dizer que é triste o fato de ela deixar uma cicatriz menor, que menos pessoas se lembrem dela, que ela tenha sido muito amada mas não por muita gente. Mas isso não é triste, Van Houten. É triunfante. É heroico. Não é esse o verdadeiro heroísmo? Como dizem os médicos: em primeiro lugar, não cause dano ou mal a alguém.

Os verdadeiros heróis, no fim das contas, não são as pessoas que realizam certas coisas; os verdadeiros heróis são as que REPARAM nas coisas. O cara que inventou a vacina contra varíola não inventou nada, na verdade. Ele só reparou que as pessoas que tinham varíola bovina não pegavam varíola.

Depois que a minha tomografia acendeu como uma árvore de natal, eu entrei furtivamente na UTI e vi a Hazel quando ainda estava inconsciente. Entrei andando atrás de uma enfermeira de crachá e consegui me sentar ao lado da Hazel por, tipo, uns dez minutos antes de ser pego. Eu realmente achei que ela fosse morrer antes que eu pudesse lhe contar que também ia morrer. Foi brutal: o arengar mecanizado incessante da terapia intensiva. Havia uma água cancerosa escura pingando do peito dela. Os olhos fechados. Entubada. Mas a mão dela ainda era a mão dela, ainda quente, as unhas pintadas de um azul-escuro quase preto, e eu simplesmente segurei sua mão e tentei imaginar o mundo sem nós, e por mais ou menos um segundo fui uma pessoa boa o suficiente para torcer que ela morresse e nunca ficasse sabendo que eu também ia morrer. Mas aí eu quis mais tempo para que pudéssemos nos apaixonar. Creio que meu desejo foi realizado. Eu deixei a minha cicatriz.

Um enfermeiro chegou e me disse que eu precisava me retirar, que visitas não eram permitidas, e eu perguntei se ela estava melhorando. O cara disse: "Ela ainda está fazendo água." Bênção do deserto, maldição do oceano.

O que mais? Ela é tão linda! Não me canso de olhar para ela. Não me preocupo se ela é mais inteligente que eu: sei que é. É engraçada sem nunca ser má. Eu a amo. Sou muito sortudo por amá-la, Van Houten. Não dá para escolher se você vai ou não vai se ferir neste mundo, meu velho, mas é possível escolher quem vai feri-lo. Eu aceito as minhas escolhas.
Espero que a Hazel aceite as dela.

Eu aceito, Augustus.
Eu aceito.

AGRADECIMENTOS

O autor gostaria de agradecer:

Essa doença e seu tratamento são comentados ficticiamente neste livro. Por exemplo, o Falanxifor não existe. Eu o inventei, porque gostaria que existisse. Qualquer um que esteja procurando uma história real de câncer deveria ler *The Emperor of All Maladies*, de Siddharta Mukherjee. Também devo muito ao *A biologia do câncer*, de Robert A. Weinberg, e a Josh Sundquist, Marshall Urist e Jonneke Hollanders, que me cederam seu tempo e compartilharam comigo sua expertise em assuntos médicos, os quais eu ignorei de bom grado quando me foi conveniente.

A Esther Earl, cuja vida foi um presente para mim e para muitos. Sou grato também à família Earl — Lori, Wayne, Abby, Angie, Grant e Abe —, por sua generosidade e amizade. Inspirados pela Esther, os Earls fundaram em sua memória uma organização sem fins lucrativos chamada This Star Won't Go Out. Você pode descobrir mais sobre ela no *site* tswgo.org.

À Fundação Holandesa para a Literatura, por me dar dois meses em Amsterdã para escrever. Sou especialmente grato a Fleur van Koppen, Jean Christophe Boele van Hensbroek, Janetta de With, Carlijn van Ravenstein, Margje Scheepsma e à comunidade de *nerdfighters* holandesa.

A minha editora nos Estados Unidos, Julie Strauss-Gabel, que ficou com essa história por vários anos de voltas e reviravoltas, assim como uma equipe extraordinária na Penguin. Um obrigado especial a Rosanne Lauer, Deborah Kaplan, Liza Kaplan, Elyse Marshall, Steve Meltzer, Nova Ren Suma e Irene Vandervoort.

A Ilene Cooper, minha mentora e fada madrinha.

A minha agente, Jodi Reamer, cujos sábios conselhos me salvaram de incontáveis desastres.

Aos *Nerdfighters*, por serem incríveis.

À Catitude, por não querer nada além de acabar com as coisas ruins do mundo.

A meu irmão, Hank, que é meu melhor amigo e colaborador mais próximo.

A minha mulher, Sarah, que não só é o grande amor da minha vida, mas também minha primeira e mais confiável leitora. E também ao neném, Henry, ao qual ela deu à luz. Além de a meus pais, Mike e Sydney Green, e sogros, Connie e Marshall Urist.

A meus amigos Chris e Marina Waters, que ajudaram nessa história em momentos vitais, assim como a Joellen Hosler, Shannon James, Vi Hart, à Venn-diagramaticamente genial Karen Kavett, a Valerie Barr, Rosianna Halse Rojas e John Darnielle.

intrinseca.com.br

@intrinseca

editoraintrinseca

@intrinseca

1ª edição	JULHO DE 2012
reimpressão	FEVEREIRO DE 2025
impressão	LIS GRÁFICA
papel de miolo	IVORY BULK 65 G/M²
papel de capa	CARTÃO SUPREMO ALTA ALVURA 250 G/M²
tipografia	ITC LEGACY SERIF